D1135088

Rhum Caraïbes

Maxence Fermine

Rhum Caraïbes

ROMAN

Albin Michel

Pour Jean-Yves Roudil

Je suis né dans une île amoureuse du vent
Où l'air a des odeurs de sucre et de vanille
Et que berce au soleil du tropique mouvant
Les flots tièdes et bleus de la mer des Antilles

DANIEL THALY

1

Bouillante

Juste avant de mourir, Aristide Sainte-Rose revit une dernière fois la maison jaune, rose et bleue sur la colline, face à la mer des Caraïbes. Il vit également les grains d'or de la plage de sable en contrebas, la toile vert émeraude de la jungle dans un après-midi d'été, le rouge du volcan de Montserrat à l'horizon, ainsi que la fameuse rhumerie dont il pouvait encore respirer les effluves d'alcool issus de la distillation de la canne à sucre.

En ce temps de genèse de la famille, l'Anse des requins abritant le petit bourg de Carambole était un lieu quasi désert, éloigné de tout, composé d'une vingtaine de maisons en bois, d'une mairie, d'un moulin, d'une petite église, d'une école et de deux commerces, un café et une épicerie. Il n'y avait guère plus de trois cents habitants dans le village, dont la moitié était encore des enfants. Les familles vivaient pour la plupart de la pêche et de l'agriculture. Ceux qui ne pouvaient prendre la mer, faute d'embarcation, ou qui ne disposaient pas d'un terrain assez grand pour y cultiver un potager, louaient leurs bras aux propriétaires terriens pour la récolte de la canne à sucre ou aidaient les pêcheurs à repriser les filets sur la plage. Autour du village, s'étendaient pas moins de cent hectares de plantation de canne, sans compter une bananeraie et plusieurs champs de cocotiers, d'ananas, de maracudjas et de cristophines.

Cet endroit ressemblait au Paradis originel, terre vierge parsemée d'arbres, de cascades, de fleurs et d'animaux sauvages. Un semblant de civilisation émergeait là, tant bien que mal, envers et contre une chaleur parfois si accablante qu'elle ne permettait aux hommes rien d'autre que la sieste à l'ombre des tamariniers ou le jeu de dominos, en attendant que le soleil décline peu à peu dans un ciel incendié.

La ville la plus proche, Bouillante, était située à dix kilomètres plus au nord à vol d'oiseau, mais il fallait une journée de marche pour s'y rendre en longeant la côte. Le trajet le plus court, par la montagne, était réputé infranchissable pendant la saison des pluies, car là où les machettes se frayaient un chemin, le jour suivant le rideau végétal s'était déjà refermé, masquant tous les repères que les hommes avaient sculptés à coups de lame.

La première épopée de la famille remontait au temps où Aristide Sainte-Rose, quittant les terres de son enfance, du côté de Matouba, était arrivé à Carambole par le plus pur des hasards. L'endroit lui ayant plu, il avait décidé de s'y installer, avait loué une chambre dans une pension au centre du village et s'était trouvé un emploi à la bananeraie en tant que contremaître. Puis, une fois marié, il avait acheté une parcelle de terrain sur les hauteurs du bourg où il avait construit une maison et un petit atelier. Là, pendant de longues années, il avait inventé toutes sortes d'objets et s'était lancé dans diverses formes d'entreprises, avant d'essuyer tout autant d'échecs retentissants.

À cette époque, l'atelier ne se nommait pas encore « Rhum Caraïbes », comme la rhumerie devenue célèbre, l'une des plus modernes de Carambole, fierté de la famille tout autant que source de sa gloire et de sa fortune. Ce n'était alors qu'un petit local balayé par les vents, à l'arrière de la maison, et où, lassé par ses insuccès, il avait fini par installer, sans l'accord de sa femme, une machine infernale qui lui avait coûté les yeux de la tête.

Aristide Sainte-Rose avait toujours su qu'un jour il ferait fortune. Cette certitude reposait sur trois faits. Tout d'abord, sa femme l'avait vu en rêve. Ensuite, il l'avait lu dans le vol des oiseaux et le trajet des étoiles filantes. Enfin, comme chaque fois qu'il devait se passer quelque chose de déterminant dans sa vie, il avait vu apparaître, dans les miroirs de la maison et les flaques d'eau du chemin, la silhouette austère et inquiétante de son aïeul, le capitaine Bonaventure Santa-Rosa. Cet esclave aux yeux vairons qui, deux siècles plus tôt, avait partagé la vie héroïque des pirates et des boucaniers, s'était battu contre les troupes colonialistes et était mort du scorbut lors d'une escapade dans la mer des Sargasses.

– Je ne crois pas aux fantômes, mais j'en ai déjà vu, avait coutume de dire Aristide, mêlant surnaturel et réalité.

Il se souvenait de ce fameux matin d'été. Il s'était levé tôt, pour se rendre au marché de Bouillante, et dans le miroir de la salle de bains, était apparu le visage du capitaine, pendant qu'il se rasait.

Aristide s'était dit aussitôt que cette journée serait exceptionnelle, qu'il reviendrait de la ville avec un nouveau projet, que les autres, bien sûr, s'empresseraient de qualifier de « lubie ». Mais ce que personne n'avait prévu, pas même lui, c'est que cette lubie serait en métal, qu'elle pèserait près d'une tonne, et surtout, qu'elle ferait sa fortune et changerait à tout jamais la face du village.

L'homme qui lui céda ce trésor au prix fort était le propriétaire du plus grand commerce de Bouillante, un Blanc nommé Jean-Yves Roudil, une sorte de bonimenteur au grand cœur et au sourire large comme l'ardoise sur laquelle il étalait ses comptes. L'activité principale de son négoce consistait à vendre aux habitants des alentours toute sorte d'objets et de machines complexes dont ils n'avaient nul besoin et pas davantage entendu parler. Ce qui apportait à tout cela une part de rêve. Son magasin, un modeste entrepôt donnant sur la place du marché, offrait à la vue des chalands un fatras de tables, buffets, armoires, coffres, fauteuils, cannes à pêche, fusils, harpons, cabestans, treuils, ventilateurs, cafetières, balances, fers à repasser, groupes électrogènes, vélocipèdes et, merveille des merveilles, un engin sphérique en tôle que tous, au premier coup d'œil, avaient pris pour une petite locomotive à vapeur. Le marchand les faisait venir d'Europe ou d'Amérique du Nord et jurait ses grands dieux que si ces machines étaient si chères, c'est qu'elles représentaient la quintessence du progrès.

– Avec n'importe lequel de ces engins, vous serez le maître de votre maison et le roi de votre village, prédisait-il à ses clients en leur tapant dans le dos pour mieux les convaincre.

Bien sûr, le progrès ne venait pas tout droit à Bouillante sans faire d'escale et, lorsqu'ils parvenaient enfin dans ce coin perdu de l'île, ces engins étaient bien souvent à bout de souffle. Mais c'est là qu'intervenait le talent de Jean-Yves Roudil. Avec une couche de peinture et pas mal de débrouillardise, il se faisait fort de redonner vie à n'importe quel objet ou mécanisme prêt à rendre l'âme. Il n'avait pas son pareil pour décaper le vernis d'un meuble ancien, graisser les rouages d'un réveil hors d'usage ou remplacer les ressorts d'un lit cassé. Et comme aucun article n'était ni repris ni échangé, ses affaires étaient florissantes. La preuve en était les deux dents en or qu'il arborait à chaque sourire, le cigarillo pendant à ses lèvres, ainsi que la belle montre-bracelet en argent à son poignet gauche.

La première fois qu'il se trouva face à la locomotive, Aristide Sainte-Rose s'immobilisa. Puis il demanda au marchand si elle était en état de fonctionner, et enfin à quoi servait ici un tel engin alors qu'il n'y avait aucun chemin de fer, et que probablement il n'y en aurait jamais.

– Tu fais erreur, Aristide, lui assura le marchand. Il y aura un jour un chemin de fer à Bouillante. Et ce que tu vois là n'est pas une locomotive, mais un alambic en parfait état de marche.

Ainsi donc, ce qu'il avait pris, comme tant d'autres, pour une machine à vapeur, n'était en fait qu'un de ces appareils destinés à la distillation de l'alcool, une de ces énormes cuves couleur cuivre que fabriquent les chaudronniers, et qui servent à transformer le jus des fruits en eau-de-vie. À la différence, toutefois, que le corps de chaudière de celle-ci était plus volumineux, le col de cygne plus raffiné et le condenseur beaucoup plus ouvragé que tous ceux qu'il avait pu voir jusqu'alors, simples bricolages d'amateurs peu éclairés, utilisés pour leur consommation personnelle. Certes, l'alambic n'était plus tout jeune, et çà et là des points de rouille sur la coque indiquaient que la corrosion avait fait son œuvre. Mais avec un appareil de la sorte, on était en mesure de produire des milliers de litres de rhum, ce qui ne s'était encore jamais vu dans la région. Le gouvernement ne produisait que les quantités de rhum nécessaires à la nation dans une usine de Pointe-à-Pitre, et distribuait dans tous les commerces la même bouteille étiquetée «RHUM AGRICOLE». Mais l'alcool qu'on appelait ici «la vitamine du bonheur» était un produit de piètre qualité. Pour obtenir un rhum supérieur, il fallait s'adresser aux petits fabricants, souvent hors de prix.

Aristide Sainte-Rose regardait l'alambic, cependant qu'une idée germait dans son cerveau bouillonnant : contrer le gouvernement et les petits distillateurs en produisant lui-même le rhum dont le village de Carambole avait besoin. Il existait un créneau dans ce genre de commerce, il en était persuadé, une sorte de palier intermédiaire : la fabrication d'un produit de qualité en quantité suffisante et à un prix mesuré.

– Combien en veux-tu ? demanda Aristide, les yeux brillants de convoitise, car dans son crâne soufflaient déjà les alizés de la réussite.

– Ça dépend. Combien es-tu prêt à m'en donner ?

Aristide lança le premier chiffre qui lui passa par la tête, et qui correspondait à la somme qu'il possédait ce jour-là.

Le marchand éclata de rire.

– Multiplie-le par dix et il est à toi.

L'affaire fut conclue après une demi-heure de palabres, au prix de cinq fois la mise, ce qui était un juste milieu mais restait tout de même une somme énorme pour la bourse d'Aristide. Il dut passer à la banque retirer la moitié de ses économies, convaincre le caissier au guichet qu'il n'avait pas perdu la tête mais un besoin urgent d'argent pour une affaire extraordinaire, et se méfier des voleurs sur le chemin du retour. Certain que sa femme allait pousser des hauts cris, et qu'il se faisait avoir par ce commerçant un peu trop retors, il hésita encore quelques secondes, avant de se décider à retourner au magasin et d'acheter l'alambic, car son intuition le poussait à agir ainsi.

Lorsque le marchand eut recompté les billets que ce client tombé du ciel lui avait glissés dans la main pour une vieille machine rouillée qu'il avait cru devoir garder de longs mois, il annonça :

– Très bien. L'alambic est à toi. Maintenant, comment comptes-tu m'en débarrasser ?

2

La Route de la Traversée

Aristide Sainte-Rose, attiré comme un aimant par la magie de l'engin, n'avait pas pensé une seconde à son poids et à la difficulté qu'il aurait à le transporter jusque chez lui. La route était longue de Bouillante à Carambole. Et, s'il y avait bien un sentier pour les hommes, à cette époque il n'en existait aucun pour une machine infernale.

Il regarda avec perplexité le mastodonte, puis le marchand, puis de nouveau l'alambic et déclara :

– Je vais l'emporter à dos de mule.

Rien ne fut plus facile que de louer une mule au marché de Bouillante, il y en avait toujours une ou deux attachées à la fontaine à l'entrée de la ville, avec un gamin au bout de la bride pour servir de guide contre quelques pièces d'argent, tout cela dans le but d'éviter aux bourgeois et aux gens bien nés de se salir les pieds dans les ruelles du centre, semblables à des égouts à ciel ouvert. Mais lorsqu'il fallut installer l'alambic sur le bât de l'animal, on se rendit vite compte que la charge était trop lourde et trop instable.

– Pourquoi ne pas utiliser un chariot tiré par deux ânes ? proposa le marchand.

Aristide trouva l'idée excellente, et c'est donc sur un engin agricole loué pour l'occasion à un paysan des environs que l'alambic quitta le magasin. Il fallut presque une heure pour le sortir de la boutique et une autre pour le hisser sur le véhicule à la force des bras.

Bien avant qu'il ne trouve sa place dans son atelier, l'alambic était devenu une légende. Comme on était en saison sèche et que Aristide désirait rentrer avant la nuit tombée pour s'épargner un long et fastidieux voyage par la route cabossée et sinueuse de la côte, il décida de couper à travers la jungle et la montagne. C'était bien sûr un projet fou, mais Aristide n'hésita pas une seconde. Aidé par quatre hommes à qui il promit une marie-jeanne de rhum chacun et un souvenir inoubliable, il entreprit son périlleux périple.

À peine sorti des faubourgs de Bouillante, une des roues du chariot s'embourba et il fallut l'intervention des cinq hommes pour le tirer de l'ornière dans laquelle il s'était enfoncé. Un peu plus loin, les ennuis empirèrent lorsque s'amorça la première côte.

Les mules refusèrent tout net d'avancer et rien ne put les convaincre. L'alambic fut donc porté à dos d'homme jusqu'au sommet où, une fois soulagées de leur fardeau, les mules daignèrent les rejoindre contre un peu de luzerne et quelques branches de céleri sauvage. Peine perdue car, à peine remis en selle, l'attelage se renversa dans un des virages de la descente, brisant net un essieu. L'alambic roula dans le fossé et on le releva tout cabossé. Comme on ne pouvait porter l'engin à bout de bras pendant le reste du trajet, et que descendre chercher une nouvelle roue à Bouillante les obligerait à passer la nuit sur place, on crut la partie perdue.

– C'est fini, dit l'un des hommes. Autant laisser l'alambic ici et rentrer à pied au village.

C'est alors qu'Aristide, faisant preuve de la clairvoyance et de la persévérance qui étaient sa véritable nature, eut une idée de génie.

– Pourquoi ne pas utiliser le plus vieux moyen de locomotion du monde et faire glisser l'alambic sur un lit de rondins jusqu'à Carambole ?

Ce qu'on entreprit aussitôt en coupant à la machette une dizaine de branches et en les plaçant sous l'engin, non sans l'avoir au préalable protégé par un épais rembourrage de feuilles de palmier.

– C'est une idée d'homme des cavernes, que vous venez d'avoir, Aristide, lui confia l'un des porteurs. Mais vous avez raison, ça marche très bien.

L'affaire se corsa lorsqu'on parvint dans la jungle. Là, il fallut faire quasiment preuve d'héroïsme pour se frayer un chemin au milieu des ronces et des yuccas dont les feuilles étaient coupantes comme du verre. Aristide et ses compagnons sortirent de là le visage et les membres tailladés, couverts de sang. À un moment, ils durent traverser une rivière au fort courant propulsé par une cascade à quelques dizaines de mètres en amont, et ce fut le drame. L'un des hommes perdit pied et tomba de tout son poids dans l'eau, ce qui déséquilibra les quatre autres, les forçant à lâcher prise. L'alambic prit un bain forcé, se remplit d'eau en quelques secondes et coula à plus de trois mètres de profondeur.

– Il ne reste plus qu'à plonger et à le tirer de là, fit observer le coupable, qui n'était autre qu'Aristide lui-même.

Ce fut en tentant de récupérer l'engin dans les profondeurs ombreuses de la rivière qu'il fit la découverte la plus merveilleuse de son existence.

Là, au fond de l'eau, sur un sol meuble, à côté de l'alambic, gisait un coffre à moitié enfoui dans la vase, et dont seuls dépassaient le couvercle et la serrure rouillée recouverte de mousse.

– Je crois que je viens de trouver un trésor, lança Aristide, à peine revenu à l'air libre.

Les hommes, ragaillardis par l'excitation, se relayèrent pour plonger dans les eaux fraîches et dégager de la vase l'alambic ainsi que le coffre mystérieux.

Il leur fallut moins d'un quart d'heure pour les remonter et les déposer sur la rive.

Certains que les dieux avaient nommé Aristide grand découvreur de ce coffre, car une telle trouvaille ne pouvait être le fruit du hasard, les hommes, dans un silence respectueux, attendirent qu'il fasse sauter la serrure d'un coup de machette. Ce qu'il entreprit, non sans avoir adressé une prière en direction du ciel.

Le Seigneur dut l'entendre car, à l'intérieur du coffre, outre une bible, un crucifix, quelques cartes marines et un habit de soldat espagnol rongé par l'humidité, se trouvait un étui en cuir contenant cinquante pièces d'or.

– Pas de doute, murmura Aristide, nous sommes sur la route des grands conquistadores.

Lorsqu'il fit rouler les pièces d'or sur le sol, le regard de ses quatre compagnons se mit à briller de convoitise. Mais en homme sage qui connaissait la nature humaine, et en dépit du fait qu'il était l'auteur de cette découverte, il jugea aussi équitable que prudent de procéder tout de suite au partage.

– Il y a là cinquante pièces d'or et nous sommes cinq. Ce qui fait donc dix pièces chacun, déclara-t-il d'une voix ferme. Quant au reste du contenu du coffre, je le garde en souvenir.

Et après avoir partagé les pièces en cinq petits tas égaux, Aristide distribua le trésor sous le regard empli de gratitude de ses compagnons.

– Voilà qui est juste, dit le premier.

– Et qui contente tout le monde, fit remarquer le second.

– Oui, vive Aristide Sainte-Rose le juste ! s'écria le troisième.

– Eh bien, dit le quatrième, qui commençait à comprendre que cette expédition allait changer sa vie, je m'attendais à une marie-jeanne et me voilà riche de dix pièces d'or !

Pendant tout le reste du voyage, personne ne rechigna à accomplir sa part de travail, deux hommes étant chargés de faire rouler l'alambic sur le lit de rondins, tandis que les deux autres étaient occupés à porter le coffre, et le cinquième, qui n'était autre qu'Aristide, ouvrait la voie à coups de machette. C'est à peine si on lui permettait de les relayer tant on avait le cœur léger et le corps grisé d'énergie.

– Vous en avez assez fait comme ça, patron.

L'intéressé se laissa faire, goûtant avec délectation cette intronisation de chef d'une expédition couronnée de succès. Tel Christophe Colomb, quatre siècles plus tôt qui, à la recherche d'une route maritime vers l'Asie permettant d'éviter les pirates barbaresques des eaux de Constantinople, crut être arrivé en Inde et baptisa cette terre Santa Maria de Guadalupe de Estremadura, ouvrant ainsi l'ère de la colonisation du peuple caraïbe, il ressentit au plus profond de son âme la fierté d'avoir changé la face du monde. Et même si, à l'instar du navigateur génois, il se trompait peut-être sur l'origine de sa découverte, car rien ne prouvait que ce coffre gisait dans la rivière depuis plus de quatre cents ans, il n'en était pas moins auréolé de la gloire des grands découvreurs.

Le voyage épique vers Carambole se poursuivit et chacun raconta ce qu'il comptait faire de son trésor. Si le premier rêvait d'un troupeau de bétail, le second, lui, voulait un bateau pour la pêche en mer. Le troisième, plus mesuré, parla d'un petit lopin de terre pour faire pousser les légumes. Quant au quatrième, il s'imaginait déjà rénovant la couverture de sa maison. Mais Aristide, lui, demeurait muet.

– Qu'allez-vous acheter avec cet or ? insista l'un des porteurs.

Le chef du convoi redressa le buste, le regard tourné vers l'horizon, et d'un ton auguste lâcha dans le vent :

– La liberté.

3

Vieux Fort

La troupe parvint à Carambole au moment précis où les derniers rayons du soleil illuminant la colline allaient disparaître dans la mer.

Le convoi produisait un tel vacarme que tous les habitants du village sortirent un à un sur le seuil de leur maison pour le voir passer. Certains, persuadés qu'il s'agissait de militaires surgis du vieux fort désaffecté, crurent qu'ils transportaient un canon et que la guerre avait éclaté.

– Voici revenu le temps des colonies ! rugit l'un d'eux.

Résolus à défendre leurs propriétés et leurs lopins de terre à la pointe du fusil, ils demandèrent aux convoyeurs ce qu'ils comptaient faire avec ce lance-boulets et quand déferleraient les premières troupes ennemies.

– Rentrez chez vous, les rassura Aristide, la guerre n'est pas pour demain.

– Mais alors, pourquoi ce canon ?

L'intéressé éclata d'un grand rire et rétorqua :

– Cet engin, s'il est bien destiné à contrecarrer le gouvernement, est tout à fait inoffensif. Ce n'est pas une arme mais une machine à produire de l'alcool.

Devant la mine ahurie de ses concitoyens, Aristide expliqua le fonctionnement de l'alambic, et le périple qu'ils venaient d'effectuer en suivant la route de la jungle. Il conta aussi leur mésaventure de la rivière et ce qu'ils y avaient trouvé.

– Quant au coffre, affirma-t-il autant pour impressionner son auditoire que pour clore la discussion, il est rempli d'or et appartenait à l'un des conquistadores qui, avec Christophe Colomb, ont colonisé cette île.

Lorsque le cortège arriva devant la maison, Elora Sainte-Rose, la femme d'Aristide, crut elle aussi qu'ils apportaient avec eux une machine à vapeur et elle les accueillit par ces mots :

– Vous voulez donc installer un chemin de fer par ici ?

– Oui, lui répondit Aristide. Le chemin de fer du rhum et de la liberté.

Devant ses yeux ébahis, il lui fit faire le tour de l'engin et toucher du doigt le col de cygne en lui expliquant le fonctionnement de l'alambic.

– Et ça, qu'est-ce que c'est ? demanda Elora en désignant le coffre à l'arrière du chariot.

Aristide, tel un chef de bataille revenant vainqueur d'une forteresse ennemie, prit une pose d'empereur et déclara :

– Ça, c'est la fin de nos ennuis.

Il ouvrit alors le coffre, montra à sa femme la bible, le crucifix, les cartes marines ainsi que l'habit de soldat espagnol qui, dès qu'il l'exhiba à la lumière, tomba en lambeaux. Puis il retira l'étui et fit miroiter les pièces d'or. Il expliqua que leurs soucis d'argent étaient terminés maintenant qu'il avait trouvé tout à la fois un trésor et le moyen de faire fortune. Sa femme ne le crut qu'à moitié, mais comme chacun des hommes arborait une mine réjouie, elle n'osa troubler leur joie.

On installa l'alambic derrière la maison, protégé par quatre tôles à la peinture écaillée et un auvent de feuilles de palmier. Il ne bougerait plus de ce lieu qui, à compter de cet instant, prendrait le nom de *rhumerie*.

Pour fêter cette journée épique, Elora proposa de prendre le repas du soir sur la terrasse, ce qu'acceptèrent avec plaisir les cinq forçats. On mangea du riz aux épices et du poulet boucané en racontant les exploits de la découverte du coffre et l'odyssée extraordinaire de l'alambic à travers la jungle. On but la bière en chantant, on parla encore des possibilités qu'offrait la richesse, puis chacun rentra chez soi, pour se reposer et cacher les précieuses pièces dans quelque recoin secret de sa maison.

– Que vas-tu faire de cet alambic ? demanda Elora une fois dans la chambre à coucher, ignorant sciemment les pièces d'or qui, pour elle, ne représentaient qu'un ennui supplémentaire, tant elle était certaine qu'Aristide n'en retirerait pas plus de quelques billets de banque qui lui brûleraient les doigts et s'évaporeraient aussitôt.

— Me lancer dans la fabrication de rhum à grande échelle, répondit Aristide, les yeux brillants d'excitation.

— Je te conseille de réussir, lui confia sa femme en se glissant sous les draps, sinon je quitte cette maison.

Après une nuit agitée par l'angoisse, Aristide se leva à l'aube et retourna à Bouillante, chez la joaillière de la ville, Fabienne Fontanet, une créole aux yeux clairs pleine de grâce et de charme, et lui soumit sa découverte. La commerçante, un peu étonnée par l'apparition soudaine de ce trésor venu du fond des âges, lui en proposa seulement vingt billets de dix francs, quoique flambant neufs. Soit à peine l'équivalent de deux mois de salaire à la bananeraie. La bijoutière n'était pas retorse, c'était Elora qui avait raison. Il n'y avait pas de quoi pavoiser, dix pièces d'or ne suffiraient jamais pour vivre sans travailler pour le restant de ses jours.

— Avec cet argent, vous pouvez acheter un bijou à votre femme, ajouta la joaillière qui ne perdait pas le nord.

Un peu dépité, mais nullement accablé, Aristide se défendit comme il pouvait :

— J'en ai hélas besoin pour autre chose. Donnez-moi l'équivalent en argent de neuf pièces d'or... j'en garde une en souvenir.

Il quitta la bijouterie avec en poche les billets de

banque et l'unique pièce dont il disposait encore, en se disant qu'il lui restait une chance de faire fortune. Il n'avait qu'à profiter de cette manne pour s'atteler à son vaste projet de rhumerie.

– L'alambic ! s'écria-t-il.

En toute hâte, il retourna à Carambole sur le coup de midi et rejoignit la rhumerie, s'apprêtant à procéder à sa première expérience de distillateur. Il n'en bougea pas de tout l'après-midi, occupé à préparer la cérémonie qu'il voulait grandiose. Vers cinq heures du soir, il courut au moulin chercher le moult, issu du jus de canne, qui attendait depuis deux jours dans les cuves à fermenter, et paya avec l'argent des pièces d'or.

De retour chez lui, il le versa dans l'alambic. Dès lors, il ne restait plus qu'à le distiller jusqu'à obtention de l'arôme et du degré d'alcool souhaité. Juste avant que la nuit ne tombe, il alla chercher Elora, la conduisit à la rhumerie et, après avoir imploré le ciel, mit la machine en marche. Cette dernière fit un boucan de tous les diables, manqua de peu exploser, se fendre en deux, mais avec un peu d'huile dans les rouages et quelques resserrages de boulons, elle se résolut enfin à produire de l'alcool.

Lorsque la première goutte de rhum fut extraite de l'alambic, Aristide la fit glisser sur son index, huma son arôme, puis la porta à ses lèvres et déclara, extatique :

– Voici le début de la fortune.

4

Morne Rouge

L'histoire d'Aristide Sainte-Rose rejoignait en quelque sorte celle de son aïeul le capitaine Bonaventure Santa-Rosa, mais il n'était pas encore en mesure de le deviner car son illustre ancêtre avait laissé très peu de traces dans l'Histoire officielle, et il fallait en appeler aux légendes populaires pour retrouver un quelconque témoignage sur sa vie.

Selon l'une d'elles, Bonaventure Santa-Rosa était un grand gaillard à la peau sombre, aux yeux vairons, l'un noir et l'autre bleu, au rire tonitruant et au caractère trempé, qui avait participé au peuplement de l'île contre son gré et avait laissé une forte impression dans la mémoire de ceux qui avaient eu la chance, ou le malheur, de le rencontrer. Au départ, il n'était qu'un esclave sans nom ni origine définie, un de ces hommes d'ébène que les Blancs capturaient dans la savane africaine. Il avait à peine vingt ans quand il lui avait fallu rejoindre une colonne d'esclaves en route pour l'île de Gorée. Là, enchaîné à d'autres Noirs, prisonnier d'une forteresse, il était resté trois jours et trois nuits sans boire ni manger. Après quoi, comme on force du bétail, des hommes armés les avaient entassés dans la cale d'un bateau négrier en partance pour la mer des Antilles. Au cours du voyage, nombre de ses congénères étaient morts de maladies, du manque d'hygiène, de maltraitances, et de ce profond désespoir qui s'abattait sur eux. Lui avait survécu grâce à son tempérament de révolté. Tant qu'il trouverait la force mentale de lutter pour recouvrer la liberté, de refuser sa condition d'esclave, il garderait une raison de vivre et ne pourrait flancher. Il savait que c'était là sa force. Cette volonté farouche allait lui sauver la vie à plusieurs reprises.

Parvenu en Martinique, l'homme qui l'avait capturé le revendit à un Blanc, propriétaire d'un vaste domaine. Sous le joug du Code noir, il connut alors le châtiment des chaînes, des verges, de la corde et du fouet, passant ses journées à travailler comme une bête de somme dans les plantations de canne à sucre. Cette existence dura moins d'un an, c'était une forte tête, aussi fut-il l'un des premiers esclaves à se révolter contre l'oppresseur. Un jour, n'y tenant plus, il assomma son geôlier avec la lourde chaîne qui l'entravait et, certain qu'on le mettrait à mort pour ce forfait, prit la fuite en compagnie de quelques compagnons. Tous furent rattrapés et châtiés. Sauf lui. Son endurance physique et mentale lui permit d'échapper à la vengeance de son maître en se cachant dans la forêt pendant plusieurs jours, sans manger ni boire. Par chance, il tomba sur une ferme isolée où il put se libérer de ses entraves à l'aide d'une enclume et d'un marteau de forgeron. Là, il reprit quelques forces et, enfin libre, retourna dans la jungle. Ainsi devint-il coureur des bois et apprit-il à chasser le bœuf sauvage et le pécari, à boucaner la viande en la faisant sécher et fumer sur un gril, à pêcher les poissons de rivière à la main, buvant l'eau des sources et dormant à la belle étoile.

Cette existence de Robinson dura plusieurs saisons. Puis, jugeant qu'il s'était fait suffisamment oublier, il quitta la jungle et rejoignit Fort-de-France. Là, dans les bas-fonds de la capitale, une autre jungle féroce et hostile, il se lia d'amitié avec des pirates, des bandits et des corsaires. L'un d'eux, du nom de Morgan, lui proposa de rejoindre son équipage et de prendre la mer avec lui. N'ayant d'autre alternative, il finit par accepter. Le lendemain, il embarquait à bord d'un galion pris à la flotte espagnole et voguait vers l'île de la Tortue, cette île où se retrouvaient les pirates entre deux expéditions, et il devint l'un d'eux sous le nom de Bonaventure Santa-Rosa.

Pendant plus de dix années, il devait écumer les mers et partager la vie aventureuse des forbans. Il amassa, lors de ces razzias sur des navires anglais, hollandais, français et espagnols de retour des terres nouvelles d'Amérique, beaucoup d'or, des épices, des pièces d'argent et des bijoux, se constituant ainsi un trésor de guerre. Il fut vainqueur de trois duels au sabre, survécut à deux naufrages et connut bien des batailles et des abordages. En témoignent ces cicatrices au visage, au bras et au ventre. À lui seul il tua plus de cent hommes et arraisonna trente-deux navires, frégates ou goélettes.

Parmi les pirates, son nom provoquait admiration et crainte.

Devant ce succès, Morgan lui confia une flotte de trois navires pirates qui écumèrent les mers sous pavillon noir. Dans toutes les Caraïbes, l'histoire du capitaine Bonaventure Santa-Rosa prit corps et fit figure de légende.

Un jour, au large de Saint-Domingue, il commit cependant la plus grossière erreur de son existence : il mit à mort un chaman, un homme-médecine indien qui, avant de rendre l'âme, le maudit sur sept générations. Santa-Rosa, peu enclin à croire aux malédictions, n'y prêta guère attention et, pris dans le tourbillon de sa vie aventureuse, oublia très vite cet oiseau de mauvais augure qu'il avait pendu à la vergue d'un mât. Jusqu'au jour où, au large de la Guadeloupe, une frégate espagnole donna la chasse à ses navires et, après avoir failli les couler en rade de Pointe-à-Pitre, les força à se dégager en voguant toutes voiles dehors vers l'est et la dangereuse pointe des Châteaux. Le navire pirate fut alors pris dans une terrible houle, comme il s'en forme souvent à cet endroit de l'île et, quelques minutes plus tard, pris au piège des tourbillons de l'océan, il alla se fracasser sur les rochers bordant la côte. Alors il se souvint de la malédiction que le chaman lui avait lancée, et comprit que le mauvais œil était désormais sur lui.

Santa-Rosa survécut cependant au naufrage et réussit à gagner l'île, emportant avec lui un coffret rempli d'or et de pierres précieuses. Il trouva cette terre si belle, si riche et si vaste qu'il décida de s'y installer. Il choisit de s'établir loin du rivage, près d'un lieu appelé Morne Rouge, où les tamariniers aux senteurs de citron et l'odeur des sapotilles lui apportèrent la sérénité qu'il n'avait plus ressentie depuis son enfance africaine.

Cette île était une sorte de paradis et il s'y trouvait bien. Il se sentait désormais sur le chemin de la rédemption.

Avec les pierres précieuses, il acheta une concession à Morne Rouge et y construisit une maison. Il épousa une créole à qui il fit cinq beaux enfants dont tous héritèrent ses yeux vairons. Cette femme, qui savait lire et écrire, lui enseigna l'alphabet et lui fit la lecture de la Bible. Pour Santa-Rosa, ce fut une révélation, et dès lors qu'il apprit lui aussi à lire et à écrire, il comprit qu'il était sauvé du marasme de l'ennui. Son quotidien fut bientôt rythmé par le chant du coq à l'aube, la traite des chèvres et des vaches deux fois par jour, les cris des enfants gambadant devant la maison, la chasse et la lecture de la Bible. Chose plus singulière, lorsqu'il eut acquis les rudiments de l'écrit, il entreprit la rédaction de ses Mémoires sur parchemin, ce qui lui prit de longues années.

Lorsqu'il eut terminé, Santa-Rosa avait alors plus de quarante-deux ans, les tempes grisonnantes et la vue basse. Enfin sage, il semblait avoir choisi une vie rangée de fermier et de père de famille. En apparence, du moins, car sous sa peau d'ébène tatouée et burinée par mille vents et mille soleils battait le cœur d'un marin. Et le réveil de ce cœur endormi n'allait pas tarder.

Un matin, sept années après le naufrage, il se leva au sortir d'un rêve qui le laissait exsangue. Il s'était vu en guerrier chevauchant une tortue de mer recouverte d'une carapace de fer, voguant sur une mer de sang et de larmes. La tortue l'emmenait au bout de la grande cataracte de la fin des océans, là où se retrouvaient les âmes des damnés, au milieu des squales, des méduses et des dragons de feu. À partir du moment où il comprit la signification de ce rêve, Santa-Rosa comprit également qu'il ne pourrait échapper à la malédiction lancée par le chaman et, laissant remonter ses vieux démons, il sut qu'il allait jeter aux orties cette vie sans saveur et reprendre la mer. Cette fois, il ne serait plus pirate, mais corsaire, luttant contre les troupes colonialistes pour la liberté de cette terre.

Il rassembla alors dans deux coffres distincts tout ce qui lui appartenait. Dans le premier, il enferma une bible, un crucifix, des cartes marines, l'habit du premier soldat espagnol qu'il avait tué de ses mains et les cinquante pièces d'or dont il disposait encore. Dans le second ses effets personnels de pirate, son sabre d'abordage, son pistolet de flibustier, son tricorne et le manuscrit de ses Mémoires. Abandonnant femme et enfants à qui il laissait le second coffre et son meilleur souvenir, il prit la route de la jungle. Il fit disparaître le premier coffre dans le lit d'une rivière près des Roches Gravées, puis vécut comme un sauvage solitaire pendant de longues semaines dans la forêt. Enfin, il rejoignit Pointe-à-Pitre, parvint à l'île de la Tortue, où il trouva un navire pirate qui voulut bien l'engager et partit sur-le-champ combattre les troupes colonialistes dans la mer des Sargasses.

C'est là que la malédiction s'abattit sur lui.

En trois mois, le scorbut s'empara de son corps et lui provoqua de multiples hémorragies. Durant trois jours et trois nuits, il délira, avant de rendre l'âme. Il mourut un jour de solstice d'été, alors qu'il venait d'entrer dans sa quarante-troisième année. Il laissait derrière lui une vie aventureuse, quelques fils et filles aux regards vairons, une veuve éplorée, une maison du côté de Morne Rouge, un premier coffre rempli d'or au fond d'une rivière, un second contenant le manuscrit de ses Mémoires, et une légende de pirate et de coureur des mers qui devait briller longtemps comme un astre dans le ciel étoilé des Caraïbes.

5

Maison du Bois

La maison des Sainte-Rose était d'un luxe rare pour le petit bourg de Carambole. Construite en bois noble, elle se dressait face à la mer, au point le plus élevé de la colline dominant l'anse, et comprenait sept pièces dont un salon à alcôve, un bureau-bibliothèque en palissandre avec deux fauteuils en osier, une cuisine disposant d'un fourneau, quatre chambres à l'étage et une salle d'eau. Une marquise abritait la porte d'entrée, et une large terrasse entourait la maison, à la lisière de la forêt tropicale où l'on entendait couler une rivière, propice à la pêche aux écrevisses et aux bains de minuit.

Contre le mur ouest de la maison s'élevait l'épave de la barque avec laquelle Aristide avait monté un négoce de pêche, et qui abritait la coquille vide d'un bernard-l'ermite, deux rames à moitié rongées par le sel et un filet troué. Près de la barque on pouvait apercevoir ce qui restait d'une ferme aux papillons, une sorte de volière recouverte d'un grillage à trame fine qui faisait désormais office de basse-cour. Juste à côté, dans l'atelier, s'entassaient les outils ainsi que tous les meubles et objets dont on ne savait plus que faire. Un peu plus loin, on trouvait les vestiges d'une éphémère plantation de caféiers qui n'avait jamais rien donné d'autre que des arbustes à peine plus hauts que des citronniers, en dépit de soins constants et d'efforts renouvelés. Enfin, à l'arrière de la demeure, la seule réussite commerciale dont la famille pouvait s'enorgueillir : la fameuse rhumerie avec son énorme alambic.

Le domaine des Sainte-Rose n'avait pas toujours été cette grande bâtisse chargée d'histoire et pleine de recoins secrets. Il avait fallu de nombreuses années pour transformer une case créole en maison de maître. En premier lieu parce que ni Aristide ni Elora, les fondateurs, n'étaient nés avec une cuillère en argent dans la bouche. En second parce qu'il leur avait fallu tout créer de leurs propres mains.

Aristide Sainte-Rose était l'aîné de sept enfants issus d'un couple de fermiers dont la seule gloire avait été de posséder cinq vaches, six chèvres, une dizaine de poules, et de cultiver le maïs, le manioc et la mangue. Il venait d'un petit village à l'intérieur des terres appelé Matouba, et c'est autant l'ennui, le manque d'espoir d'y faire un jour fortune et l'appel de l'aventure qui l'avaient conduit dans la région de Carambole. L'homme mesurait cinq pieds six pouces, était solide comme un roc, possédait un menton fort, une peau sombre et des yeux vairons. Le droit était bleu et pur comme un ciel d'été, tandis que le gauche était marron et inquiétant comme une nuit sans lune. Ainsi, jouant tour à tour de l'un et de l'autre, il pouvait tout autant vous charmer que vous impressionner.

– Avec les enfants et les gens honnêtes, je me sers de l'œil de Dieu. Avec les autres, c'est l'œil du diable, avait-il coutume de répéter.

Quant à Elora, née Vargal, elle arrivait d'un quartier populaire de Bouillante où son père, employé dans une scierie, et sa mère, femme au foyer, tentaient tant bien que mal de nourrir leurs dix enfants avec un seul salaire. C'était donc l'union d'un jeune homme sans grand avenir et d'une jeune femme pauvre qui avait eu lieu un jour d'été, en ce début de siècle qui verrait bientôt naître les congés payés, les fusées, et l'ordinateur.

Aristide n'avait jamais prévu de se marier. S'il avait quitté son village natal, c'était pour tout autre chose que de se retrouver avec un fil à la patte jusqu'à la fin de ses jours. Il recherchait avant tout la liberté et l'aventure, ce qu'il avait finalement trouvé en voyageant plusieurs mois durant dans les îles des Caraïbes, et pratiquant tous les métiers. Guitariste de bar, assistant d'un charpentier de marine, manœuvre dans le bâtiment, contrebandier de tabac, ferreur de chevaux en maréchalerie et apprenti typographe. Mais, ne trouvant décidément pas sa voie dans ce labyrinthe de professions dont aucune n'était la sienne, il s'en était revenu sur l'île et avait pris le premier emploi qui s'était offert à lui : travailler dans une bananeraie.

Bien avant qu'elle accepte l'idée un peu folle de se marier avec l'homme qui avait eu l'audace de demander sa main parce qu'il l'avait aperçue un jour en train de danser au carnaval de Bouillante, Elora Josepha Vargal était déjà une femme accomplie. Celle qui allait régner plusieurs décennies sur cette maison et donner le jour à cinq enfants possédait trois dons que les dieux lui avaient offerts à la naissance. Un premier pour la cuisine, un deuxième pour l'oniromancie, et un troisième pour l'amour.

À sa table, il ne manquait jamais rien.

Avec la rigueur d'un général supervisant le mouvement de ses troupes au plus fort d'une bataille, dès les premières lueurs de l'aube elle sortait de la maison et se rendait au marché local situé sur la plage, là où les bateaux de pêche touchaient terre, côtoyaient les marchands de primeurs, de viande et d'épices, et les vendeurs à la sauvette de pain, d'étoffes et de parfums. S'engageaient alors entre elle et les commerçants de longues palabres hautes en couleurs dont elle avait toujours le dernier mot. Elle finissait sa tournée chez la vendeuse de petits bonbons en sucre, des confiseries qu'elle adorait et suçait à toute heure de la journée, comme une enfant. Puis elle gravissait de nouveau le chemin de la colline avant que la chaleur ne devienne trop accablante. Dès son retour à la maison, elle posait son grand sac sur la table de la cuisine et se mettait au travail. S'ensuivait alors une longue et minutieuse préparation du déjeuner accompagnée de chants car, comme toutes les créoles, elle adorait chanter en travaillant. À midi, elle avait préparé de quoi caler l'estomac de tout un régiment. Du poisson-coffre, du lambi, des crabes de terre, des accras de morue, de la sauce chien parfumée au piment et au citron, du blaff d'oursins et de ouassous, des choux pommés, des pois d'Angole, de l'avocat, des gombos, du gratin de giromon, du pain pomme-cannelle, des cristophines, des mangues, des citrons verts, des sapotilles, des cerises-pays, des prunes-cythère, des flans-coco, des bananes flambées, des ananas-bouteilles, sans oublier les épices et aromates qu'elle utilisait à foison, ainsi qu'une grande jarre remplie à ras bord de rhum.

Comme si cela ne suffisait pas, elle lisait l'avenir dans les rêves. Elle tenait ce don de sa mère, comme toutes les femmes de la lignée depuis des temps immémoriaux. Chacun de ses songes était sujet à interprétation, et chacune de ses prédictions, qu'elle se réalisât ou non, ajoutait à son personnage une part d'aura et de mystère.

Une nuit, elle rêva que le monde s'écroulait, et le lendemain, l'île connut un tremblement de terre. Une autre nuit, elle se mit à cracher du feu, et le lendemain le volcan de Montserrat se réveilla. Une autre encore, elle vit le visage de sa voisine se changer en fleur de nénuphar, et elle apprit le lendemain que cette dernière s'était noyée dans un étang du marigot. Elle était parfois effrayée par ce qu'elle voyait en rêve, mais elle ne pouvait rien y faire.

– C'est comme si toute la misère du monde se réfugiait sous mes paupières, disait-elle, les yeux cernés par la fatigue et le manque de sommeil, car elle se réveillait bien souvent en sueur et ne parvenait plus à se rendormir.

Malgré cela, elle dirigeait son ménage d'une main de fer et, même malade ou épuisée, commandait ses filles en cuisine et pratiquait l'art de la divination couchée sur son lit, le dos appuyé contre trois oreillers, en sirotant une tisane de passiflore et en suçant des bonbons. Elle jouissait d'une telle renommée qu'on accourait de toute l'île pour assister à ses consultations. Aussi n'était-il pas rare de voir quinze personnes à la porte de sa chambre, résolues à patienter plusieurs heures afin d'obtenir une entrevue qu'en dépit des résultats elle ne faisait jamais payer. Elle était un passeur entre le monde des vivants et les puissances invisibles et, en plus de lire l'avenir dans les rêves, elle soignait les ruptures d'amour avec des philtres de « revenez-moi », revigorait les défaillances sexuelles avec des potions de « pété-braguette » et résolvait les problèmes du quotidien à l'aide de préparations « ça va aller ». Car si Aristide Sainte-Rose avait hérité d'une certaine folie, sans laquelle la vie n'est rien qu'une longue et grise journée d'hiver, sa femme avait reçu de la nature la clairvoyance et la rigueur.

Quant à l'amour, la largeur de ses hanches et la

profondeur de son cœur en étaient le creuset parfait. Elle était faite pour donner. Elle avait eu quelques aventures dans son adolescence, mais rien de bien sérieux, car elle avait vu en rêve que l'homme de sa vie surgirait le jour où elle s'y attendrait le moins, et porterait une fleur d'hibiscus à la boutonnière.

– C'est comme ça depuis que le monde est monde, avait-elle fini par conclure, c'est quand on ne cherche plus l'objet de ses désirs qu'on finit par mettre la main dessus.

6

Deshaies

La rencontre d'Aristide et d'Elora s'était déroulée lors des trois jours gras du carnaval. À cette époque, Aristide venait d'arriver dans la région où il avait trouvé un emploi à la bananeraie de Carambole, un travail dur et harassant qui lui permettait tout juste de vivre, ne lui laissait aucun moment de loisir, et encore moins l'argent nécessaire pour une quelconque folie. Il avait loué une chambre dans la seule pension du village, une pièce exiguë et sombre où il avait entassé tout ce qu'il possédait : une valise de vêtements, une guitare noire, une machette, deux ou trois livres et un coffre qu'il tenait de son grand-père et trimbalait partout, sans jamais l'avoir ouvert. Il portait moustache et chapeau brun et, lorsqu'il ne sortait pas avec la machette au ceinturon pour se rendre à la bananeraie, un couteau bien aiguisé pesait au fond de sa poche. Il s'habillait de sombre durant la semaine, et d'un costume blanc le dimanche, avec en coquetterie une fleur d'hibiscus à la boutonnière. Dans la force de ses vingt ans, il était plutôt beau garçon, l'avenir lui appartenait. Et comme il courait les bals et toutes les fêtes de la région, ce jour-là il avait marché près de six heures sous un soleil de plomb pour rejoindre Bouillante dans le dessein d'assister au carnaval.

Dans la ville en effervescence, vibrant de la musique des cuivres, des grosses caisses et des cymbales, les femmes vêtues de leurs plus belles robes se déhanchaient sur un rythme de biguine. Les enfants dans leurs déguisements de pirates et de marins, les hommes au corps recouvert de pigments apportaient au tableau vivant une explosion de couleurs.

Alors que le carnaval battait son plein, Aristide, accoudé au bar avec quelques amis, employés comme lui à la bananeraie, buvait du rhum comme il est de coutume un jour de fête, jusqu'à ne plus savoir si c'était sa tête qui tournait ou si le plancher tanguait comme celui d'un navire par forte houle. Au-dehors défilaient inlassablement les cortèges des danseurs et des danseuses et, l'ivresse générale aidant, chacun se laissait emporter par la liesse, chantait et dansait dans la rue, tête nue sous l'enclume du soleil. Aristide, lui, plus mesuré que ses compagnons, ne but pas plus que de raison, et resta bien sagement dans le café, à l'abri des vertiges de l'alcool et de la fête. À un moment, son regard fut attiré par une beauté noire dont le déhanchement et la sensualité le troublèrent au plus profond de son être. Cette danseuse semblait possédée par tous les démons d'Afrique et des Caraïbes réunis. Elle se mouvait comme une diablesse,

le sein lourd et la hanche large, la bouche faite pour
mordre la vie à pleines dents. Aristide en fut sur l'heure
foudroyé par la passion. Comprenant qu'il venait de
reconnaître la femme de sa vie, il déclara à haute voix à
ses compagnons :

– Voilà celle que je vais épouser. Avec elle, ce sera le
paradis et l'enfer tout à la fois.

Ses amis crurent qu'il blaguait car il avait la réputation d'être un peu vantard, mais l'instant d'après, il finit
son verre d'un trait et sortit dans la rue en se mêlant au
cortège des danseuses. Il fut bientôt happé par la foule
et nul ne le revit ce jour-là. En vérité, il passa l'après-
midi à suivre sa promise dans les rues de la ville sans la
lâcher des yeux plus d'une seconde. Il dansa avec elle
d'une façon si sensuelle qu'elle fut bien obligée de
s'intéresser à lui. Profitant d'un moment d'accalmie, il
lui glissa à l'oreille :

– Quand est-ce qu'on se marie ?

La jeune femme crut tout d'abord être en présence
d'un fou ou d'un homme pris de boisson, et sans se
retourner se contenta de sourire, en continuant de danser comme si de rien n'était. Mais lorsqu'elle le vit, lorsqu'elle aperçut la fleur d'hibiscus qu'il portait à la
boutonnière, elle blêmit.

– Mon Dieu ! s'écria-t-elle en s'arrêtant net au milieu
de la foule que la musique possédait toujours. Serait-il
possible que ce soit le bon ?

Un feu s'alluma dans ses yeux noirs, elle se laissa faire

la cour avant de l'entraîner dans une folle sarabande dont ils sortirent tous deux épuisés, trempés de sueur, ce qui les excita davantage encore. Elle comprit alors qui il était, pourquoi il se trouvait là en ce jour de fête, et elle succomba au vertige de l'amour.

Ensuite, tout alla très vite. Le soir venu, elle se laissa raccompagner chez elle par l'inconnu et apprit qu'il se nommait Aristide Sainte-Rose. Dès le lendemain, elle accepta un premier rendez-vous sur la place du marché et, après un ti-punch à la terrasse d'un café, il l'emmena visiter le jardin botanique de Deshaies. Là, il lui prit la main et la conduisit vers le bassin aux carpes, la volière des oiseaux moqueurs, puis vers le jardin aux fleurs. Ce fut parmi les bougainvillées, les hibiscus, les anthuriums, les héliconias et les allamandas qu'ils s'embrassèrent pour la première fois. Les lèvres d'Elora avaient le goût de la fleur de campêche et du raisinier bord-de-mer. Quant à sa peau, elle exhalait le parfum du balisier et de l'ananas-bois.

Le soir, ils dînèrent dans une gargote, à la lueur d'une bougie qui colora d'ambre leur amour naissant et, la nuit même, enfiévrèrent le lit dans le modeste logis d'Aristide. Au matin, le corps éreinté, ils partagèrent le petit déjeuner au lit, du café fort et des fruits, se ruèrent à nouveau l'un vers l'autre, tout le jour durant, jusqu'à en tomber d'épuisement.

– Dommage que tu aies les yeux vairons, parvint-elle

à dire, car c'est un gage de malheur. Cela, je ne l'avais pas vu en rêve…

Selon une vieille croyance populaire créole et à laquelle croyait Elora, les êtres aux yeux vairons, sans cesse tiraillés entre Dieu et diable, étaient soumis à la terrible malédiction de l'échec.

– Parle pour toi, rétorqua Aristide qui se souciait des dictons comme d'une guigne. Moi, ça m'a toujours porté chance. La preuve, tu es dans mon lit.

– De toute manière, il est trop tard pour revenir en arrière, conclut-elle en riant.

Ils échangèrent un serment et dès lors tout changea dans leur vie. Trois semaines plus tard, Aristide demandait sa main à ses parents.

– Vous devez être fous amoureux ou fous à lier pour agir de la sorte, leur confièrent Edouard et Anita Vargal en recevant le prétendant chez eux. Vous vous connaissez à peine depuis quelques jours.

– Peut-être, mais j'ai l'impression que nous nous sommes rencontrés il y a des années.

Comme les parents d'Elora restaient muets, ne sachant comment réagir devant une telle requête, Aristide leur proposa de laisser la principale intéressée arbitrer l'affaire :

– Pourquoi ne pas demander son avis à Elora ?

La jeune fille, qui avait écouté toute la conversation, et qui était heureuse d'avoir enfin trouvé un homme capable de tenir tête à son père et à sa mère, un homme, un vrai, pas un de ces jeunes écervelés qui ne pensent qu'aux choses de la chair et n'ont aucun esprit, cria plus qu'elle ne dit :

– Je veux épouser cet homme puisqu'il ressemble trait pour trait à celui que j'ai vu en rêve.

– Dans ce cas…, s'inclina Anita Vargal qui ne transigeait jamais sur la magie.

Quatre mois après leur rencontre, Aristide Sainte-Rose et Elora Vargal se marièrent dans l'église de Bouillante lors d'une cérémonie à laquelle participèrent les familles des deux tourtereaux, les frères, les sœurs, les cousins, jusqu'aux neveux et nièces dont certains étaient venus de l'autre bout de l'île et d'autres qu'on n'avait jamais vus ailleurs que sur des photographies. À l'image de la société polychrome des Antilles, il y avait là des créoles pure-souche, des nègres-marrons, des mulâtres, des chabins et des blancs-créoles. Tous présents, à l'exception remarquée des parents d'Aristide qui prétextèrent, au moyen d'un télégramme envoyé aux mariés le matin même des noces, l'un un tour de reins, l'autre une phlébite. En vérité, ils se portaient le mieux du monde mais se déclaraient ainsi furieux que leur fils s'installât loin de son pays natal et qu'il se fût passé de leur accord pour fonder une union qu'ils estimaient peu avantageuse.

– Tant pis pour eux, conclut Aristide. Ce sont des ânes, et je n'ai plus besoin d'eux depuis longtemps.

Le soir du mariage, les invités se retrouvèrent dans un

restaurant de bord de mer où les attendaient des agapes dignes d'un banquet de l'Olympe, avec nectar et ambroisie à volonté. Un groupe de musique convié pour l'occasion joua dès le début de soirée. On mangea, on but et on dansa de la tombée de la nuit jusqu'au chant du coq. Piégé dans le tourbillon de la fête, Aristide Sainte-Rose prit ce soir-là la première véritable cuite de sa vie. Il but tant de rhum, qu'à partir d'une certaine heure, entre chien et loup, il ne se souvint plus de rien ni de personne. Ni comment la noce se termina, ni s'il parvint à retrouver seul son lit ou si quelqu'un l'avait porté jusque-là, ni même s'il était ou non marié.

Le lendemain, en plus de trouver près de lui une femme accorte et gironde, il se réveilla avec un pharaonique mal de tête. Il avait l'impression que le lit tanguait, qu'il allait verser d'un moment à l'autre comme un navire en perdition et qu'une meute de chiens hurlait à l'intérieur de son crâne. Il lui fallut une demi-heure pour se lever, et une autre pour ramper jusqu'à la salle d'eau où il vomit tripes et boyaux en jurant qu'il ne boirait plus jamais une goutte d'alcool de toute sa vie. Fort heureusement pour lui et pour le cafetier de Carambole, c'était une promesse d'ivrogne, car dès le surlendemain, il recommença à boire, à la seule différence qu'il n'eut plus jamais mal à la tête car il se tint loin des pièges de la déraison.

Trois jours plus tard, il était en si bonne forme qu'il

honora plus que vaillamment la beauté d'Elora, ce qui le rendit fier comme un coq.

— Maintenant que me voilà enceinte, lui fit remarquer dès le lendemain sa femme, qui avait reçu l'information en rêve, il serait temps de nous construire une maison.

7

Jardin d'Eau

Comme par magie, le ventre d'Elora se mit à gonfler tel un ballon et, vingt-quatre heures après s'être unie à son mari, elle avait des nausées et des vertiges dignes d'une grossesse de plusieurs semaines. Le médecin de Bouillante qui l'ausculta quelques jours plus tard, à son cabinet du centre-ville, un nommé Jean-Dimitri Économe, un de ces carabins qui avaient fait leurs études à la faculté de médecine de La Havane, pensa à une grossesse nerveuse due au stress causé par le mariage. Mais Elora l'assura du contraire.

– Vous faites fausse route, docteur. Je n'ai jamais eu peur de me marier, et les rêves ne se trompent jamais. Ce sera un garçon et il naîtra en mars.

Le médecin ne put que s'incliner devant un tel diagnostic et se contenta de lui prescrire des bains de lait d'ânesse, de la tisane de passiflore à volonté et du repos.

– Dans ce cas, revenez me voir dans deux mois et je vous dirai si vous êtes vraiment enceinte.

Mais c'était mal connaître Elora. Elle lui rétorqua avant de quitter le cabinet :

– Je suis certaine de l'être, docteur. Et lorsque je reviendrai vous voir, vous verrez qui de nous deux a raison.

Connaissant les pouvoirs de divination de sa femme, Aristide la crut sur parole et n'hésita pas une seconde à prendre les dispositions qui s'imposaient.

– Il te faut du repos, je veux que mon fils jouisse d'une santé de fer.

Après avoir obtenu l'accord d'Elora, il informa sa belle-famille qu'ils projetaient d'acheter un terrain à Carambole dans le dessein de construire une maison. Durant les recherches, ils s'installèrent dans la minuscule chambre de la pension d'Aristide et se mirent à économiser sou par sou. Il travailla tout ce temps à la bananeraie contre un salaire de misère, mais sans se plaindre. S'il se sentait encore trop jeune et inexpérimenté pour s'établir à son compte, il se savait assez vaillant physiquement et moralement pour travailler dur pendant encore plusieurs années.

Lors des longues journées qu'elle passa seule, enfermée dans la chambre ou sur la terrasse de la pension, Elora s'occupa des courses, de la cuisine, du ménage, et regarda son ventre enfler à vue d'œil. Pour tromper son ennui, elle se mit à pratiquer l'oniromancie chaque après-midi en s'accordant une longue sieste réparatrice sous les bananiers bercés par les alizés. D'abord pour savoir ce que l'avenir lui réservait, ensuite pour satisfaire ses voisines, friandes de tout ce qui relevait du surnaturel. Certaines étaient si excitées à l'idée de connaître leur destin sur cette terre qu'elles n'attendaient même pas la fin de sa sieste et la réveillaient en plein rêve. Elora, pourtant, n'en prenait jamais ombrage. À peine avait-elle les yeux ouverts qu'elle murmurait :

– J'ai de grandes nouvelles pour toi.

Ces simples mots suffisaient à allumer l'excitation dans les yeux de l'intéressée.

– Dis-moi ce que tu as vu, je t'en prie.

Elora observait deux règles d'or : elle n'acceptait jamais d'argent pour ses prédictions, certaine que cela lui porterait malheur. Et elle n'annonçait les mauvaises nouvelles que de façon très prudente. Ainsi, lorsqu'elle vit que le père de l'une de ces voisines allait mourir dans l'année d'une maladie incurable, elle confia d'une voix douce :

– Je vois venir un héritage.

Cette attitude eut beaucoup de succès, et sa renommée ne fit que croître au fil des semaines. Comme ses prédictions étaient souvent fondées, à défaut d'argent ses clientes prirent l'habitude de lui apporter en échange un peu de nourriture, un habit ou un bijou. À ce rythme, la chambre se remplit d'une foule d'objets, qui constituèrent peu à peu le trousseau du ménage en vue du prochain déménagement.

– Et pour nous, quel avenir ? lui demanda un jour Aristide.

Elora ne confiait jamais à son mari ce qu'elle voyait dans ses rêves les concernant, mais ce jour-là il se montra assez insistant pour qu'elle avoue :

– Tout ce que je peux te dire, c'est que tous les sept ans, notre vie connaîtra un cycle différent. Et lors des sept années qui viennent, je ne vois que des langes à laver et des bouches à nourrir, mais nul argent.

Une nuit, elle rêva qu'elle était une sirène entraînant dans son sillage tous les pêcheurs de la côte en leur promettant qu'ils trouveraient au large des poissons en abondance. Le lendemain, une barque coula dans l'Anse des requins, et trois hommes se noyèrent. Une autre fois, elle rêva qu'un nuage de papillons rouges envahissait le ciel jusqu'à masquer le soleil. Le lendemain, la révolution éclata et le sang du peuple fut versé. Enfin, elle vit en rêve sa voisine, reine d'un pays perdu, errant dans un cimetière de jouets et vêtue d'un long voile de deuil. Le lendemain, elle apprenait que celle-ci avait fait une fausse couche. Elle comprenait peu à peu qu'elle était un canal entre le monde humain et celui, plus éthéré, des puissances invisibles, et en était tout à la fois fière et horrifiée.

Le prêtre du village, Joseph Olivier, qui avait entendu parler des pouvoirs magiques d'Elora, vint un jour lui rendre visite dans le but d'en savoir davantage. C'était un homme qui apportait peu de crédit aux manifestations humaines, mais beaucoup à celles de l'esprit. Aussi était-il enclin à voir le reflet du diable dans le plus insignifiant des bouchons de carafe à vin, ou dans le décolleté de quelque danseuse de carnaval. À peine eut-il bavardé quelques minutes avec Elora qu'il vit dans la teneur de ses songes la même chose qu'il voyait partout : la présence du mal.

— Madame, affirma-t-il en joignant les mains, il faut sans tarder que je vous exorcise.

Il apposa alors son crucifix sur le front d'Elora et commença à débiter ses litanies en latin, mais Elora le coupa net :

— Vous perdez votre temps, mon père. Je ne suis pas possédée par le diable, mais par le Bon Dieu. Et pour cela, il n'y a rien que vous puissiez faire.

Le prêtre en eut le souffle coupé. Il lâcha le crucifix qui chut sur le sol, tomba à genoux devant la jeune femme et se mit à sangloter. Elora eut alors ce geste incroyable, digne d'un évêque. Elle posa la paume de sa main droite sur le crâne tonsuré du prêtre et le bénit.

— Merci mon Dieu ! gémit le prêtre avant de tomber à genoux sur le sol, pris d'une transe aussi soudaine que mystique.

Dès lors, on sut que le Bon Dieu s'arrêtait parfois à Carambole et qu'il prenait l'apparence d'Elora.

8

Carambole

Trois mois plus tard, les autorités cadastrales proposèrent au jeune couple un terrain à un prix très raisonnable sur la commune de Carambole, au lieu-dit « Les Enfers ». Ce titre peu engageant annonçait pourtant une jolie surprise. En dehors du fait qu'il était situé sur l'endroit le plus escarpé de la colline et le plus éloigné du centre du village, le terrain ne manquait pas d'un certain attrait. Il était vaste, plutôt bien orienté, et offrait une vue splendide sur l'Anse des requins. Seulement, il était en friche et ne disposait ni de l'eau courante ni de l'électricité. « Les Enfers » annoncés n'étaient qu'une cascade située à quelques centaines de mètres, là où coulait la rivière, un nom bien étrange pour un lieu aussi paradisiaque.

Aristide et Elora, comprenant qu'ils n'obtiendraient rien d'autre à un tel prix, choisirent de l'acquérir en dépit du labeur qui les attendait pour le rendre habitable. Dès le lendemain de la signature chez le notaire, Aristide entreprit de construire une demeure digne d'accueillir une famille de trois personnes, voire plus, car ni lui ni Elora, tous deux issus d'une large fratrie, ne comptaient en rester là. Ils disposaient de peu de temps pour agir. On était en octobre, et dès la fin de l'année, ils pensaient quitter la chambre de la pension pour s'établir dans leur nouvelle maison.

C'est donc sur les hauteurs de Carambole, face à l'île volcanique de Montserrat dont le dôme, lors d'éruptions intempestives, illuminait la nuit caribéenne des mille feux d'un gigantesque son et lumière de lave et de cendres, qu'Aristide Sainte-Rose choisit de construire leur nid.

D'abord il fallut choisir l'endroit où élever la demeure. Ce fut Elora qui opta pour un petit promontoire dominant la colline et offrant la plus belle vue sur l'Anse des requins. Puis défricher une partie du terrain à la machette pour creuser les fondations de la future maison. Tout autour s'étendait une vaste forêt tropicale où s'épanouissait une flore à la croissance dopée par la chaleur torride et les pluies souvent torrentielles. On y trouvait, entre autres, l'arbre du voyageur, le frangipanier, le bougainvillée et des milliers d'orchidées poussant sur les arbres, ce qui ravit Elora, tant elle avait pour les fleurs un penchant naturel. Une foule d'insectes les habitait, dont des dynastes, des libellules, des grillons et des phasmes. Et même quelques couleuvres inoffensives qui s'enfuirent en sifflant, irritées qu'on les délogeât avec aussi peu de tact.

Pendant tout un mois, le matin avant de partir au

travail et le soir jusqu'à la nuit tombée, Aristide mania avec vigueur la machette, qui ne quittait jamais son ceinturon, coupant les arbustes, les ronces et les racines pour en faire un tas énorme qu'il enflammait ensuite. Il parvint à sauver l'essentiel de la flore qui faisait la fierté de l'endroit et récupéra les essences les plus nobles pour construire la maison.

Le début de janvier vit apparaître contre l'horizon de la colline ce qui n'était encore qu'une case, un bâti sur lequel Aristide avait posé des lattes de bois, un toit en tôle ondulée et deux portes orientées à l'est et à l'ouest afin de profiter des alizés. À l'intérieur, il monta une cloison sèche pour séparer la pièce à vivre de la chambre à coucher, installa au-dehors un petit réduit pour la salle d'eau avec un ingénieux système de gouttière en bambou qui acheminait l'eau de la rivière, puis peignit la façade en jaune, rose et bleu pour donner à l'ensemble un aspect joyeux. Il créa enfin une terrasse et un petit atelier qui ne manquaient pas de charme.

– Voici ton palais, dit un jour Aristide à Elora en lui présentant la maison.

La jeune femme était alors enceinte jusqu'aux yeux, elle avait un mal fou à mettre un pied devant l'autre et souffrait de la chaleur, ce qui aurait pu influer sur son caractère, mais comme elle était de bonne constitution et qu'elle savait ce que l'avenir lui réservait, elle déclara :

– Ça ne ressemble pas encore à un palais. Mais je suis certaine que ça en deviendra un plus tard.

Le lendemain, le couple emménagea. Dès lors, la vie fut douce et heureuse car ils étaient enfin chez eux, même s'il fallait lutter contre les trois plaies créoles : la chaleur, les moustiques et le manque d'argent. Chaque matin, Aristide partait pour la bananeraie et en revenait le soir, fourbu, épuisé, les muscles endoloris à force de travailler dur. Mais il avait l'habitude de répéter :

– Tant que je serai en assez bonne santé pour faire bouillir la marmite, on s'en sortira.

Vers la fin du mois de février, Elora perdit la bonne humeur qui la caractérisait et fit soudain des caprices pour des choses qui, d'ordinaire, ne la touchaient guère. Ainsi elle se mit à repousser systématiquement les caresses de son mari, s'emportait lorsqu'il rentrait trop tard du travail, et lui reprochait d'aller le dimanche au café prendre un verre avec ses amis. Elle eut des envies curieuses, comme un bain parfumé de pétales de rose en plein midi ou des fraises au sirop à quatre heures du matin.

– D'ordinaire, les femmes ont ce genre de lubies au moment où elles tombent enceintes et non au moment d'accoucher, lui fit remarquer avec justesse son mari.

– Peut-être, mais tu sais bien que je ne fais jamais rien comme les autres.

Comme l'avait prédit Elora, le premier enfant du couple naquit en mars, et ce fut un garçon. L'accouchement, confié aux soins de la doyenne du village, myope comme une taupe et qui, en dépit de ses quatre-vingt-dix ans, faisait office de sage-femme, se déroula à la maison et dura dix-huit heures. L'enfant vint au monde avec le cordon ombilical autour du cou, si congestionné qu'on dut le pendre par les pieds et lui donner une claque sur les fesses pour le faire respirer. On s'empressa d'appeler le prêtre pour le baptiser afin de préserver son âme des enfers s'il devait mourir prématurément, et on conjura le sort en lui donnant le nom de l'archange guérisseur de la Bible, Raphaël.

— Je suis à peu près sûre que cet enfant va nous apporter des ennuis, dit Elora, une fois le nourrisson bien calé sur son ventre. Du moins, s'il ne meurt pas dans la nuit…

Par bonheur, le nourrisson ne mourut pas. Un mois après sa naissance, il avait recouvré toutes ses forces et regardait le monde avec de grands yeux vairons tout étonnés. Dès lors, on sut qu'il était lui aussi voué à la terrible malédiction de l'échec. Il devint glouton comme une chèvre et se mit à réclamer le sein à toute heure du jour et de la nuit. Comme il ne semblait jamais repu, Elora en perdit le sommeil et le sourire.

— Cet enfant va me tuer, confia-t-elle à son mari.

Mais Aristide, malin comme un singe, lui rétorqua :

— Tu dis ça parce que c'est le premier. Lorsque tu en auras nourri une nichée, tu n'y prêteras plus attention.

Aristide avait raison. Les douze années suivantes, Elora allait mettre au monde quatre autres enfants, tous nés à trois ans d'intervalle et chacun d'un caractère différent. Or elle ne se plaignit jamais autant que pour le premier.

— À croire qu'il a pris pour lui toutes les tares de la

famille, laissant à ses cadets toutes les qualités. Un prénom d'ange qui cache un vrai petit démon, disait Elora.

Raphaël n'était pas seulement un enfant difficile, il
avait un comportement bizarre qui inquiétait ses parents.
Parfois, il pleurait à chaudes larmes ou riait à gorge
déployée sans qu'on en sût la raison, ou bien n'ouvrait
pas la bouche de toute la journée et restait prostré, insensible au monde extérieur. À l'âge de quatre ans, répri-
mandé par son père à propos d'une broutille, il fit sa
première fugue. On perdit sa trace pendant tout un
après-midi avant de le retrouver endormi au pied d'un
bananier. À l'école, menteur, copieur et rapporteur, il
était voué aux punitions et aux brimades de ses camarades. Il n'était pourtant pas un cancre, mais il suffisait
de le mettre au milieu d'une classe pour qu'il y sème la
zizanie.

— Cet enfant finira au bagne, confia son instituteur
aux époux Sainte-Rose.

— Dans ce cas, je vais lui coudre un pyjama rayé pour
lui en donner l'avant-goût, répondit Elora très pince-
sans-rire.

Le pire, c'est qu'elle le fit. Ainsi, Raphaël sut à quoi
s'en tenir et tomba peu à peu dans la délinquance, le vol
et l'escroquerie, chemin qu'il allait suivre tout au long
de sa vie.

— Celui-là, dit un jour Aristide, on ne lui voit que
l'œil noir. À croire que Dieu s'est moqué de lui.

9

Les Abîmes

Pour son deuxième accouchement lors d'une nuit de mai brillante et douce comme une soie piquée d'étoiles, Elora mit au monde une fille. Dans l'air flottait les fragrances exquises de l'orchidée lianescente des régions tropicales, aussi l'appela-t-on Vanille.

Autant Raphaël était un enfant renfermé, dur de caractère et capricieux, autant Vanille était gaie et éveillée. Elle fit ses nuits dès la fin de son premier mois, ne suça jamais son pouce et ne tomba presque jamais malade.

Par bonheur, elle avait deux yeux bleus, avec seulement une pointe de noir dans l'œil gauche, ce qui lui donnait un charme particulier.

– Puisque c'est comme ça, à l'avenir je n'enfanterai que des filles, confia Elora à son mari. Elle, si elle va un jour au bagne, ce sera pour porter des oranges à son frère aîné.

Aristide, pour se défausser d'une lourde charge et aussi parce qu'il ne comprenait rien à l'éducation des jeunes enfants, pensait qu'il n'avait rien à leur apprendre avant l'âge révolu de dix ans et les laissa élever par leur mère. C'est à peu près à cette époque qu'il devint somnambule et prit l'habitude de se lever en pleine nuit et de déambuler comme un fantôme dans la demeure, à la grande frayeur de ses enfants. On le retrouvait assis à son bureau, les yeux grands ouverts mais endormi, occupé à lire un traité sur l'exploitation des mines d'or ou la composition de la poudre à canon, ou bien dans la cuisine en train de se préparer une omelette à quatre heures du matin, ou encore sur le toit de la maison à jouer à l'équilibriste avec les chats du quartier. Une nuit, il sortit même de la maison et alla tout droit « aux Enfers », en haut de la cascade, où il resta de longues minutes penché au-dessus du surplomb rocheux.

Ce fut Elora, comme d'habitude, qui formula le diagnostic le plus juste :

– Ton esprit est tellement agité que, même pendant le sommeil, il ne parvient pas à se reposer. Si tu ne fais rien pour y remédier, tu sombreras dans les abîmes de la folie.

Dès lors, pour conjurer le sort, Aristide ne passa plus ses nuits à tourner dans son lit comme un lion en cage mais dans son atelier, cette fois bien éveillé, jusqu'à ce que le sommeil le prenne dans ses bras et qu'il s'endorme sur son établi, épuisé.

– Puisque je ne dors que quatre heures par nuit, il faut que je trouve quelque chose à faire.

Il mit à profit ce temps gagné sur le sommeil pour

réparer ses outils et inventer des objets qui n'existaient que dans les limbes de son cerveau perturbé par les élans de la création. Une de ces inventions, parmi tant d'autres, naquit de l'observation d'un lucane en plein vol. Le coléoptère aux grandes mandibules dansa devant ses yeux avec tant de grâce qu'il en fut ébloui :

– Si un lourdaud pareil parvient à voler, pourquoi pas quelque chose de plus lourd encore ?

Il fabriqua alors son premier engin volant, une toile légère tendue sur une armature rigide faite de baguettes de bois disposées en triangle, le tout relié par une grande ficelle. Il se rendit sur la plage, posa la toile sur le sable et attendit un tourbillon de vent. Puis, d'un coup sec, il tira sur la ficelle et fit s'élever la toile. L'engin, pourtant plus lourd que l'air, se mit à prendre de la hauteur et à voler dans les airs en dessinant sur le ciel de belles figures de danse. Quelques enfants, attirés par la musique que produisait la toile frottée par le vent, vinrent observer la scène avec un intérêt croissant. Après plusieurs minutes à proposer un magnifique ballet aérien, Aristide perdit le contrôle de son oiseau qui chuta lourdement sur le sol, puis se disloqua. Mais l'inventeur, fort de ce premier succès, ne se découragea pas. Il retourna aussitôt chez lui, s'enferma dans son atelier et fabriqua un second appareil volant encore plus résistant. Pendant tout un mois, il le peaufina jusqu'à le rendre quasi parfait. C'est ainsi qu'un matin il déclara avec emphase à sa femme :

– Je crois que je tiens une invention de premier ordre, et qui va changer la face du monde : un lucane-volant.

Aristide imaginait déjà tout ce que pourrait engendrer une telle découverte, la fortune, la gloire, et les éventuelles applications militaires qu'on pourrait en tirer. Il était persuadé qu'il suffirait de la faire connaître au monde pour que tout se mette à changer dans sa vie. Mais sa femme, plus lucide, le fit redescendre sur terre plus vite qu'une rafale de vent.

– Tu viens juste d'inventer quelque chose qui existe depuis des millénaires chez les Chinois et qui se nomme le cerf-volant.

Après le cerf-volant, il y eut l'épisode du savon à la caféine pour les matins difficiles, de l'appareil à cuire les œufs à la coque sans eau, du parapluie collecteur d'eau et du piano qui s'accorde tout seul. Inventions plus folles les unes que les autres, qui ne donnèrent que peu de résultats et disparurent à peine mises au jour.

Ces objets, souvent inutiles mais toujours fantasques, avaient fini par lui donner une réputation d'inventeur farfelu qui lui colla définitivement à la peau. Car en dépit de ses échecs, ce que lui-même avait pris pour pure fantaisie était devenu une seconde nature : il avait le don de conjuguer la technique et la poésie. Et les autres l'avaient compris. Il ne se passait pas une semaine sans que les gens du voisinage viennent frapper à sa porte, le suppliant de réparer un outil cassé, une roue crevée ou un appareil en panne. Et Aristide parvenait presque toujours à trouver une solution. Il se creusait les méninges jusqu'à ce que la lumière de son intelligence s'allume sous son crâne d'inventeur né. Il passa ainsi de longues nuits à imaginer des objets si insensés et des projets si loufoques que, même lorsqu'il semblait tout à fait réveillé, Elora se demandait si ses crises de somnambulisme n'avaient pas recommencé.

– Tout cela ne sert à rien. Mais je changerai peut-être d'avis le jour où tu gagneras de l'argent avec tes folies.

Cette phrase fit son effet sur Aristide.

Le démon du capitalisme fondit sur lui comme un aigle aux griffes acérées et l'emporta dans les nuées du libre marché.

– Tu as raison, dit-il. Dès demain, je démissionne de la bananeraie et je crée ma propre entreprise.

10

Pointe-Noire

Aristide n'eut cependant pas à choisir entre un travail pénible et mal rémunéré et une vie aventureuse d'entrepreneur sans pécule. Quelques jours après cette conversation le destin décida pour lui : la grève éclata à la bananeraie de Carambole.

Tout commença par un ras-le-bol général à la suite du gel des salaires. Aristide, qui n'avait jamais eu une conscience politique bien définie, choisit de ne pas s'inquiéter et continua à travailler comme si de rien n'était.

– À quoi sert de lutter contre les patrons et le gouvernement quand même les morts sont de leur côté lorsqu'il s'agit de voter ? déclara-t-il à ses compagnons avant de retrousser ses manches et de se remettre au travail.

Mais quand le lendemain il se présenta devant la grille d'entrée du domaine, il tomba sur des piquets de grève armés de machettes.

– On ne passe pas, camarade.

Les syndicalistes étaient menés par un homme au

caractère trempé et à la détermination sans faille, José-Élie-Olivier Bodonot. Meneur d'hommes et orateur habile, ce créole aux cheveux crépus, portant moustache et barbichette, avait fait ses classes dès les premières révoltes du début du siècle, au moment où le syndicalisme en était à ses balbutiements. Avec ses camarades de la sucrerie de Pointe-Noire, il avait tenu tête au gouvernement et obtenu la première augmentation de salaire grâce au blocage de l'outil de travail. Par la suite, il avait formé le LKP avec quelques camarades et poursuivi son combat. À peine avait-il pris la tête de la révolte syndicale qu'il avait été nommé secrétaire général du LKP et était devenu le médiateur attitré entre le patronat et le prolétariat.

Lors de la grève à la bananeraie de Carambole, le LKP avait pris les choses en main dès le premier jour du conflit et José-Élie-Olivier Bodonot était apparu le lendemain. On l'avait vu surgir de nulle part, accompagné de trois sbires aux épaules de déménageurs, monter sur une caisse, lever le poing et prendre la parole d'un ton rageur.

– Camarades ! avait-il rugi, voici le temps de réclamer la dignité de vivre !

Le discours qui s'était ensuivi avait été applaudi à tout rompre et Bodonot, tel un libérateur du peuple, était reparti sous les vivats de la foule. On sut alors que la grève durerait et qu'elle serait entièrement sous le contrôle de cet homme au charisme étonnant. Mais, contrairement à Pointe-Noire, la grève de Carambole ne s'était pas déroulée comme prévu. Au bout de trois semaines de conflit, les syndicalistes n'avaient toujours rien obtenu, et de guerre lasse, ou minés par la faim, certains – dont Aristide – avaient décidé de forcer le blocus imposé par les piquets de grève et de reprendre le travail. Mais les hommes du LKP firent usage de leurs armes et il y eut trois blessés, dont l'un perdit l'usage d'une main à la suite d'un coup de machette qui lui avait sectionné les tendons. Dès lors, la guerre était déclarée entre les deux factions ennemies.

– Voilà Les Kasse-Pieds ! s'écria Aristide qui n'aimait pas l'attitude de Bodonot qu'il trouvait arrogant et surtout fainéant comme une couleuvre. Un syndicaliste au pouvoir, ça se change vite en dictateur ! On ne devrait pas avoir le droit d'empêcher les gens de travailler.

Tout empira lorsque le propriétaire de la bananeraie, ployant sous les dettes, céda aux syndicalistes. En échange de la reprise du travail et du licenciement d'une partie du personnel, il leur offrait une augmentation. Comme beaucoup de ses camarades, Aristide fut licencié sur-le-champ car il avait osé tenir tête à Bodonot et s'était retrouvé sur la liste noire du LKP.

Ce revers ne sembla néanmoins pas le déstabiliser outre mesure, il caressait d'autres projets. Il voyait même dans ce licenciement l'occasion de tout recommencer à zéro.

– J'emmerde les syndicalistes, je conchie les patrons

et je vomis les bananes ! hurla-t-il en passant la grille d'entrée de l'entreprise pour la dernière fois. Et, sans se retourner, il rentra chez lui, enfin débarrassé d'un poids si énorme qu'il se sentit soudain un homme libre, capable de courir et de voler dans les airs comme un papillon.

11

Morne-à-l'Eau

C'est à cette époque qu'Aristide lança sa première affaire. Tout découla d'une rencontre avec Jean-Yves Roudil, le commerçant de Bouillante, peu avant l'éclipse solaire qui allait plonger l'île dans une obscurité totale en plein midi, phénomène extraordinaire qui ne se produisait que tous les 370 ans environ, et que, bien entendu, il ne fallait rater sous aucun prétexte.

En « vue » de cet événement historique, Aristide Sainte-Rose avait fait l'acquisition chez le marchand d'une lunette astronomique de facture assez simple, puisqu'il s'agissait de deux loupes fixées à chaque extrémité d'un tube, la plus grande servant d'objectif et la plus petite d'oculaire. En quelque sorte, elle ressemblait par bien des points à la représentation qu'en avait faite Giambattista Della Porta dans *La Magie naturelle*, ouvrage paru en 1589, et qui n'était autre que la description d'un jeu de miroirs réfléchissants. Mais Aristide n'avait pas plus entendu parler de ce livre que du savant italien qui l'avait écrit, et il crut que cette technique remontant aux origines de la science des astres était des plus récentes.

— Quel fantastique progrès ! se pâma-t-il en observant le ciel de si près qu'il se crut lui-même une étoile perdue dans la Voie lactée.

— Bien entendu, confirma Jean-Yves Roudil en commerçant retors. Elle est à vingt francs, c'est presque donné. Avec une telle lunette, vous pourrez même voir ce qui se passe sur la Lune.

Certain de saisir une affaire, Aristide lui régla l'achat rubis sur l'ongle et s'en retourna chez lui, le cœur léger. Il avait calculé qu'en louant sa lunette dix francs les trente secondes, l'éclipse durant près de six minutes quarante, il pourrait gagner soixante-dix francs, soit plus de trois fois le prix de l'objet, et que, luxe suprême, il se réserverait les dix secondes restantes pour observer l'éclipse à son tour.

La publicité autour d'une telle expérience ne se fit pas sans mal, mais au jour dit, cinq minutes avant le spectacle offert par le ciel, il y avait tout de même une dizaine de personnes en faction devant sa porte.

Heureux comme un pape devant la chapelle Sixtine, Aristide installa la lunette astronomique dans la rue et la dirigea vers le Soleil. Puis on attendit midi en bavardant un peu et en plaisantant. Dès que l'intensité du jour baissa, tel un chef d'orchestre, il ordonna la colonne de ses clients et, à midi juste, il déclara que la fête pouvait commencer. Or rien ne se passa comme prévu. Le premier quidam qui se présenta derrière la lunette était myope et ne vit rien d'autre qu'un halo flou, aussi refusa-t-il de payer. Le second avait la vue meilleure, mais le temps qu'il parvienne à distinguer la face noire de la Lune masquant la clarté du Soleil, près de quarante secondes étaient passées. Aristide dut le prendre par le revers de la veste pour qu'il laisse sa place au suivant et lui arracher des mains les dix francs qu'il lui devait. Dans la file, on se mit à gronder. À ce rythme-là, seuls les cinq premiers verraient quelque chose, et comme personne n'avait envie d'attendre 370 ans pour assister au spectacle suivant, on se mit à jouer des coudes et à râler. Aristide jugea plus prudent de couper la poire en deux et de vendre quinze secondes au prix de cinq francs. Mais lorsque le troisième client se présenta, il colla si bien son œil contre la lunette que, lorsqu'il l'en retira, il ne voyait plus rien qu'une tache blanche à la place de la tête hirsute d'Aristide. En vérité, comme on devait l'apprendre plus tard, sa rétine était irréversiblement brûlée et il ne verrait plus jamais de l'œil droit.

– Quel charlatan ! On ferait mieux de partir, dit l'un des hommes présents dans la file.

– C'est vrai ! On ne devrait jamais faire confiance à un homme qui a les yeux vairons.

En quelques secondes, la rue se vida et Aristide se retrouva seul dans l'obscurité glacée d'une éclipse solaire. Dépité, n'ayant récolté ce jour-là que dix francs, il retourna au magasin où il échangea la lunette contre un livre de recettes de cuisine. Puisqu'on le considérait comme un charlatan, il allait leur donner raison. Et le plus tôt serait le mieux.

12

Sucre

L'idée de la seconde expérience germa quelques nuits plus tard, dans la chaleur et la moiteur de son atelier, alors qu'Aristide songeait aux pouvoirs divinatoires de sa femme. Pourquoi ne pas en faire commerce sous la forme de sucreries magiques ? L'opération « bonbons avenir » consistait à rédiger des prédictions sur des petites bandes de papier, à les enrouler autour d'une confiserie et à les vendre. Sur certaines, on trouverait ce genre de phrases : « Aux premiers jours de mai, l'amour frappera à votre porte », ou bien : « Ne prenez aucune décision importante avant la fin de la saison sèche », ou encore : « Brûlez un cierge à sainte Rita et le malheur vous épargnera. » Toutes sortes de fadaises qui ne voulaient rien dire mais qui, bien tournées et tombant à point nommé, pouvaient impressionner et faire croire qu'on prédisait l'avenir.

Lorsqu'il en parla à sa femme, Elora crut qu'il était devenu tout à fait fou et que cette fois il méritait la camisole.

– Non seulement c'est malhonnête, mais en plus ça ne tient pas debout, pour la bonne et simple raison qu'on ne peut pas savoir qui tombera sur le message.

– Et que fais-tu de la clairvoyance du hasard ? lui rétorqua Aristide.

Elora, stupéfaite, ne sut que répondre. Son mari était persuadé que personne ne se plaindrait de ce commerce si on se contentait d'annoncer aux gens des bonnes nouvelles.

– Évite de parler du malheur et tu verras que mon idée était la bonne.

Elora, plus que perplexe les premiers temps, finit par se ranger à son avis, et Aristide se mit alors à produire dans son atelier les «bonbons avenir», ces fameuses sucreries magiques dont les enfants raffolaient. Il y avait là des petits gâteaux de glace pilée arrosés de sirop et de miel, des douceurs coco et goyave recouvertes de sucre, et des pistaches figées dans du caramel. Tandis que sa femme était occupée à rédiger sur la table de la cuisine les petits bouts de prédictions que l'interprétation des rêves lui dictait, lui se débattait avec le miel, le sucre et les fruits pilés qu'il mélangeait dans un chaudron avec une grande cuillère en bois. Ensuite, une fois la pâte reposée et coupée en petits carrés, les confiseries enrobées de leur papier, il ne restait plus qu'à apporter le tout à l'épicerie de Carambole.

Au début, le commerce marcha comme sur des roulettes et la petite boutique de Carambole ne désemplissait pas tant les prédictions étaient de bon augure pour celui qui les lisait. L'épicier, surpris d'un tel succès, demanda à ses fournisseurs d'en produire cinq fois plus dès la deuxième semaine et dix fois plus la troisième. Dès lors, l'atelier d'Aristide devint une véritable usine et il fallut faire appel aux enfants et aux voisins pour pallier le manque d'effectifs. Vanille, du haut de ses quatre ans, aida son père à réaliser les petits bonbons en sucre, tandis que Raphaël, aidé de trois autres garçons du village, fut affecté aux livraisons jusqu'à l'épicerie. Tous les soirs, au crépuscule, alors que son père, exténué par une journée de travail, allait prendre un peu de repos, il remplissait une brouette de sucreries et descendait jusqu'au village. Lorsqu'il remontait, il avait remplacé les confiseries par des billets de banque.

Mais Elora, qui n'avait jamais appris à mentir, ne put très longtemps servir ces fadaises aux gens du village, et bientôt, au milieu de messages heureux, elle se mit à prédire des événements qui l'étaient beaucoup moins. Un jour, quelqu'un tomba sur cette phrase : « Celui qui me mangera, raide mort tombera et finira au cimetière de Morne-à-l'eau. » Bravant la prédiction, il ne fit qu'une bouchée de la sucrerie, avança de quelques pas, et s'écroula sur le sol. Il venait de succomber à une crise cardiaque foudroyante. Sa famille, horrifiée, déclencha une émeute à l'épicerie en demandant que les sucreries magiques soient interdites à la vente.

– S'il faut mourir en mangeant un bonbon, où va-t-on ?

Le lendemain, plus personne n'osa acheter le moindre « bonbon avenir », non parce qu'on soupçonnait Elora Sainte-Rose de jouer la comédie, mais justement parce qu'elle avait des pouvoirs magiques et qu'on savait bien que chacune de ses prédictions, bonne ou mauvaise, finirait par se réaliser.

– C'est le comble, fit remarquer Aristide. Pour une fois qu'on leur dit la vérité, les gens n'en veulent plus !

– C'est tout à fait normal, répondit Elora. Personne n'a envie de connaître le jour et l'heure de sa mort.

– Parce que tu connais les circonstances et la date de la tienne, peut-être ?

– La mienne, non, mais la tienne, je l'ai vue en rêve.

Aristide devint blanc comme un linge, et il eut à peine la force de prononcer :

– Dis-moi tout.

– Je ne te révélerai rien…

– Pourquoi ?

– Pour ne pas te rendre malheureux.

Cette fois Aristide prit peur et ne fit plus jamais appel aux talents divinatoires de sa femme, pour quelque commerce que ce soit. Obsédé par ce qu'elle venait de lui avouer, et en prévision de cette mort qui commençait à le hanter, il acheta une concession au cimetière avec l'argent des sucreries magiques. Là, il fit graver son nom et sa date de naissance sur la pierre tombale par un sculpteur local.

— Comme ça, il ne restera plus qu'à ajouter la date de ma mort.

— Je n'aurais pas dû te parler de ça, constata Elora, ça te fait tourner la tête et j'ai peur que tu deviennes tout à fait fou.

— Si tu ne veux pas me dire l'année exacte, révèle-moi au moins le mois et le jour.

— Très bien, si ça peut te faire plaisir. Tu mourras un 1ᵉʳ juin. Mais ce n'est pas pour tout de suite, tu mourras de vieillesse, et tu seras le dernier parmi nous à rendre l'âme.

Dès lors, Aristide fut rassuré, il était encore jeune et vaillant, et se sentit protégé par cette prédiction comme par une carapace qui le mettait à l'abri des vicissitudes de l'existence. C'est à cette époque qu'il commença à se soucier du danger comme d'une guigne, partant en mer alors que la tempête battait son plein, grimpant aux arbres ou sur le toit de la maison sans protection, ou bien traversant la route sans regarder.

— Je ne peux pas mourir tout de suite, parce que je ne suis pas encore vieux, avait-il coutume de répéter.

Et c'est ainsi que, par le fait d'une prédiction, Aristide n'eut plus jamais peur de mourir, puisqu'il était écrit dans les astres qu'il vivrait centenaire.

13

L'Anse du Souffleur

Confiant en l'avenir, Aristide se lança alors dans son troisième projet, sans aucun doute le plus noble car il appartenait au domaine artistique : la création d'un groupe de musiciens ambulants. Cette idée ne relevait pas d'une chimère, il bénéficiait en effet d'un certain talent, jouait de la guitare depuis assez longtemps pour posséder un répertoire capable d'éblouir un auditoire, que sa voix chaude, sensuelle et suave maintenait sous le charme. En terre créole, nul ne pouvait se passer de musique depuis que les chants de travail, de messe et de veillée avaient gagné les cœurs pour pallier la misère du quotidien. Mais de là à gagner sa vie avec une caisse de bois et six cordes, il y avait un pas hasardeux à franchir. Aveuglé comme d'habitude par le miroir aux alouettes du succès immédiat, Aristide était pour l'heure incapable de le mesurer.

Il existait déjà de ces poètes guitaristes ambulants qui allaient de village en village et de maison en maison donner l'aubade à une belle ou colporter les dernières nouvelles en chansons contre quelques pièces ou le gîte et le couvert. Les habitants les recevaient à bras ouverts, heureux d'apprendre les derniers potins, les unions et les désunions, ces musiciens colportant les nouvelles du monde étant bien souvent leur seul lien avec la civilisation. L'un d'eux, très âgé, qui s'appelait Léonard Montréal et qui avait toujours exercé ce métier, avait initié Aristide dès son adolescence. Et il se souvenait de la venue du musicien dans la maison familiale de Matouba, par un chaud après-midi de mars, alors qu'il venait de fêter ses douze ans et qu'au-dehors, le parfum des hibiscus et des lauriers-roses envahissait l'air cependant que le soleil inondait la mer des Caraïbes de son feu orangé. Léonard Montréal, le regard noir et enflammé des gitans et les ongles longs comme ceux d'une femme, était arrivé par le chemin de terre en chantant une aubade. D'abord, on avait entendu une voix grave, puis le chant d'une guitare, et on avait cru à la présence d'un esprit.

– C'est le fantôme de Bonaventure Santa-Rosa qui vient nous hanter ! s'était écriée la mère d'Aristide d'un ton affolé.

Mais très vite le trouble s'était dissipé lorsque la silhouette hiératique de Léonard Montréal était apparue, guitare sanglée autour du cou, une vieille guitare dont le vernis de la caisse, du manche et des éclisses avait disparu sous les caresses mille fois répétées de la paume et des doigts du musicien. L'homme, tout en chantant, avait marché jusqu'au seuil de la maison et, imperturbable, avait entonné jusqu'au dernier couplet sa chanson qui annonçait le mariage de la plus belle fille de Matouba avec un riche propriétaire avant la fin du mois, la mort du gouverneur de l'île d'un arrêt du cœur avant la fin de l'année, et la fin du monde sous un torrent de lave et de cendres avant la fin du siècle. Puis, après avoir fait sonner le dernier accord, il s'était fendu d'un sourire et avait tendu son chapeau à l'assistance. Aristide, fasciné par la scène, n'avait pu esquisser le moindre geste tandis que ses frères et sœurs offraient leur don au guitariste, comme l'exigeait la coutume – un œuf, un coquillage, une pierre sculptée ou, pour les moins fortunés, un sourire. Léonard, en s'approchant de lui et en posant sa large main sur la tête de l'enfant, lui avait murmuré :

– Eh bien, mon garçon, on dirait que tu n'aimes pas la musique. Tu ne m'offres même pas un sourire.

C'était exactement le contraire, mais Aristide était si ému qu'il n'avait su quoi répondre. Ce n'est qu'un peu plus tard, dans la cuisine où on avait convié le musicien à partager un bouillon de poule, qu'Aristide avait enfin pu recouvrer la parole et questionner l'étranger.

– Quel est cet instrument ? avait-il demandé en désignant l'objet.

– Une guitare, avait répondu Léonard. Elle n'est plus toute jeune, mais elle m'accompagne partout. Je la connais d'ailleurs mieux que ma femme. C'est vrai qu'elle est beaucoup plus légère et qu'elle crie moins fort qu'elle.

Léonard et le père d'Aristide avaient partagé un rire sonore, avant que l'enfant n'interrompe leur bonne humeur par une question :

— Pouvez-vous m'apprendre à en jouer ?

Léonard Montréal, qui avait compris qu'Aristide possédait une oreille musicale et une volonté étonnante, lui rétorqua :

— Pour cela, il faudrait que j'aie du temps, et toi un instrument. Ce qui est loin d'être le cas.

Devant la mine déconfite de l'enfant, l'homme aux yeux noirs avait ajouté :

— Mais je veux bien te promettre une chose. Chaque fois que je passerai par ton village, je t'apprendrai les accords et les paroles d'une chanson sur cette vieille guitare. Ensuite, il ne tiendra qu'à toi d'acquérir ton propre instrument et de graver dans ta mémoire ce que je t'aurai appris.

Aristide, bien entendu, accepta, et prit ce jour-là sa première leçon de musique. C'était une chanson lente, avec deux accords faciles à apprendre par cœur, un *ré* et un *mi* mineurs, mais pour tirer de l'instrument une mélodie, comme Léonard savait le faire, il avait encore du chemin à parcourir.

— C'est très bien pour un début, confia pourtant le musicien. Je reviendrai l'année prochaine te donner la deuxième leçon.

– Où habitez-vous ?

– À l'Anse du Souffleur. Mais il ne te servirait à rien de te rendre là-bas. Je ne passe guère plus de deux ou trois nuits par an dans ma maison. C'est hélas ! la vie du musicien ambulant.

L'homme aux yeux noirs quitta la table familiale, remercia les parents d'Aristide et, saisissant sa guitare entre les mains d'Aristide qui la laissa fuir à regret comme une colombe qu'on rend à sa liberté, il prit le chemin du retour en jouant un air joyeux et entraînant, car il avait l'estomac plein et le cœur léger.

Le soir même, Aristide se fabriqua un semblant de guitare avec une caisse en bois et une corde à linge, et répéta pendant des jours les deux accords que Léonard lui avait appris.

– Je veux une guitare, commença-t-il à répéter à ses parents dès le lendemain, je veux devenir musicien ambulant.

Son père se contenta de grogner et sa mère haussa les épaules en levant les yeux au ciel. Mais à force d'entendre gratter la même rengaine sur cette caisse à savon, ils finirent par céder. Et lorsque, l'année suivante, Léonard Montréal revint à Matouba, il découvrit Aristide penché au-dessus d'une vieille guitare que son père avait dénichée chez un voisin mélomane. Le caprice de son fils l'avait saigné à blanc, mais il était certain qu'un jour cet investissement lui serait remboursé par la Providence avec intérêts.

– Comme tu as grandi ! observa le musicien, un peu surpris. Te voilà devenu un homme.

Et c'était vrai que, du haut de ses treize ans et de son mètre soixante-cinq, Aristide n'était plus un enfant. Et il savait jouer désormais de nombreux airs sur sa guitare.

– Encore trois ans et tu pourras venir sur les routes avec moi, fit-il en donnant l'accolade au garçon.

Et il repartit comme il était venu. Sans doute oublia-t-il aussitôt ce qu'il venait de dire, mais lorsqu'il revint à Matouba, trois ans plus tard, Léonard Montréal trouva Aristide et son père debout sur le perron, comme s'ils n'avaient jamais bougé de là depuis sa dernière visite.

– Maintenant, dit le père d'Aristide en désignant son fils qui tenait d'une main sa guitare et de l'autre son sac de voyage, faites-en ce que vous voulez, un musicien, un chanteur ou un traîne-savates, mais qu'il aille jouer ailleurs car mes oreilles ne le supportent plus !

C'est ainsi qu'Aristide entama une carrière de guitariste ambulant sous la férule du plus illustre d'entre eux. Durant une année entière, le temps de faire le tour de l'île et de se constituer un répertoire, une technique de jeu, et d'apprendre ce qu'était la vie d'un artiste de rue. Ils jouèrent un peu partout, de Malendure jusqu'au Lamentin et de Pointe-Noire jusqu'à Anse Bertrand, pour les plus illustres comme pour les plus pauvres. Devant la femme du gouverneur, lui annonçant qu'elle serait bientôt veuve, ce qui sembla la ravir plutôt que la chagriner. Devant la mendiante de Capesterre-Belle-Eau, lui prédisant qu'elle recouvrerait la vue quand elle ne s'y attendrait plus, ce qui eut l'air de l'effrayer. Et devant le fantôme du capitaine Bonaventure Santa-Rosa qu'ils croisèrent un soir de pleine lune sur le chemin du Morne Rouge, portant sur son épaule un coffret rempli de pièces d'or, une barbe couleur argent et deux pierres précieuses à la place des yeux, une émeraude et un saphir.

Au début, cette vie de bohème sembla convenir parfaitement à Aristide. Mais un matin d'été, alors que les deux musiciens se trouvaient non loin de Matouba, il fut pris de la maladie du remords et de la nostalgie. Au milieu du chemin et d'une chanson triste, il s'arrêta de jouer et de marcher, et resta là, figé sur place, jusqu'à ce que le soleil de midi frappant sur son crâne comme les tambours du diable l'oblige à se réfugier à l'ombre d'un tamarinier.

– C'est fini, confia-t-il à son compagnon. Je rentre chez moi.

– Tu n'es pas sérieux.

– Au contraire. Je ne l'ai jamais été autant de toute ma vie. Adieu.

Et, sans même un mot d'explication, il quitta Léonard Montréal, s'en retourna chez lui, rentra dans la maison qu'il n'avait plus revue depuis de longs mois, salua tout le monde comme s'il était parti le matin même, gravit l'escalier jusqu'au premier étage et rangea sa guitare dans un coin du grenier. Dès lors, il ne parla plus jamais de devenir musicien ambulant et plus personne ne l'entendit chanter. Jusqu'au jour où, près de vingt années plus tard, se souvenant de cette première expérience et désireux de trouver un métier pour nourrir sa famille, Aristide sortit de son étui la vieille guitare et devint le fantôme de Léonard Montréal. Il avait alors trente-trois ans bien sonnés.

Au début, il se lança seul sur les chemins de la création, avec en tout et pour tout sa guitare aux cordes usées et à la caisse de résonance perforée, les chansons populaires qui habitaient sa mémoire et l'envie de tout recommencer à zéro. Il fut bien accueilli partout où il se rendit, à l'exception des rares fois où il lui prit la funeste idée d'annoncer aux gens la mort de leurs proches. Mais lorsqu'il restait joyeux et dispensait les ragots et les rumeurs, il récoltait en retour rires et applaudissements et parfois même un peu d'argent.

Ravi de ce succès, il fut bientôt rejoint par deux autres musiciens, Laurent, un joueur de tambour ka, et Fred, un chanteur de rue, tous deux dans des styles très différents.

Les trois compères se lancèrent dès lors sur les routes de l'île avec une joie sans mélange. Et ils commencèrent à gagner correctement leur vie, allant de bal en bal, de fête en fête et de demeure en demeure, toujours le sourire aux lèvres et la musique au bout des doigts. Au plaisir qu'ils prenaient à jouer ensemble s'ajoutait la joie de ne plus se sentir seuls. Ils faisaient enfin quelque chose qui leur plaisait, les portait et leur offrait de quoi vivre. Mais il était écrit dans les astres qu'Aristide ne goûterait pas longtemps au bonheur d'être musicien, car à peu près en même temps que naissait et prospérait le groupe, Raphaël fut victime du typhus et faillit perdre la vie.

– C'est donc que le Bon Dieu a décidé que je ne serai jamais tranquille, fit-il remarquer à Elora.

Aristide, comprenant qu'il était de son devoir de père de rentrer à la maison, et que sa place était auprès de son fils et non sur les routes, renonça pour la seconde fois de son existence à une vie d'artiste. Le cœur serré, mais en paix avec sa conscience, il retourna dans le giron familial. On veilla Raphaël de longues semaines avant qu'il ne recouvre la santé grâce aux soins prodigués tout à la fois par le docteur Jean-Dimitri Économe et les prières adressées au ciel. Lorsque l'enfant fut sauvé, Elora incita son mari à repartir, mais l'envie n'y était plus.

– Je ne suis pas fait pour cette vie, confia Aristide à sa femme. J'ai besoin de toi et des enfants au quotidien pour être heureux.

Et, cette fois, pour plus de sécurité, il se rendit au bord de la falaise au-dessus de l'Anse des requins et, d'un geste définitif, jeta sa guitare dans la mer. Il la regarda flotter sur l'onde calme, jusqu'à ce qu'elle disparaisse à l'horizon, comme un radeau de notes et d'illusions, bientôt avalé par l'immensité écumeuse du monde.

14

La Ferme aux Papillons

Après les échecs successifs de la lunette astronomique, des sucreries magiques et du groupe de musiciens ambulants, Aristide Sainte-Rose eut l'idée un peu
saugrenue, mais néanmoins originale, de créer une
ferme aux papillons. Ce concept lui vint à l'esprit un soir
où, assis sur la terrasse de sa maison, il observait le ballet
d'une tribu de papillons aux ailes jaunes et bleues tour-
billonnant dans le halo jaune de la lampe tempête posée
au centre de la table. Sans se lasser de ce fabuleux spectacle, il termina son assiette de pois de senteur, se tourna
vers sa femme et déclara :

– Voilà la magie.

– Quelle magie ? demanda Elora en écartant de la
main un des phalènes qui avaient eu la mauvaise grâce
de se poser sur son assiette, attiré par le parfum de son
flan-coco.

– Celle qui danse devant nos yeux... Toutes ces
lueurs colorées... Imagine... Si on pouvait rassembler
toutes ces espèces dans une volière et faire payer les gens

pour venir les observer, on appellerait cela une ferme aux papillons.

– Et pourquoi pas une ferme aux crocodiles ? ricana sa femme qui se gaussait toujours au premier abord des lubies de son mari.

– Parce que, fort heureusement pour nous, il n'y en a aucun dans l'île. Tandis que des papillons...

L'île, au climat humide et chaud, regorgeait en effet de lépidoptères de toutes sortes, même si, phénomène insulaire, les espèces s'y trouvaient en nombre limité. Aussi loin que sa mémoire pouvait remonter dans le temps, les papillons avaient toujours exercé sur lui une sorte de fascination. Sans oublier que, par sa forme, la Guadeloupe ressemblait à un papillon. C'était donc quelque chose de plausible, cette ferme. Soudain pris de la fièvre du créateur qui voit apparaître un mirage à l'horizon, Aristide se frappa le front et décrivit la vision qui occupait son esprit.

– Imagine ce que pourrait donner cette ferme ! On l'installerait derrière la maison, juste à côté du potager... elle serait grandiose et formerait une palette de couleurs vivantes.

– Après tout, répondit Elora en un soudain revirement, j'ai rêvé la nuit précédente qu'un ange se posait sur ton épaule et te glissait à l'oreille un secret. C'est peut-être ce qui vient de se produire. Cette idée de ferme est sans doute moins ridicule qu'elle n'y paraît.

– Il y a bien des serres pour les fleurs. Alors, pourquoi pas pour les papillons ?

– Oui, tu as raison…

– Et si les espèces de cette île ne suffisent pas à créer une ferme digne de ce nom, nous en ferons venir d'Amérique du Sud, d'Asie, d'Europe, voire d'Océanie. Cela doit être possible. Après tout, Jean-Yves Roudil, en bon commerçant, parvient à se faire livrer du monde entier. Pourquoi ne pas lui demander conseil ?

– Il y a la question de l'argent, fit remarquer Elora avant d'avaler sa dernière bouchée de flan-coco.

– C'est vrai. Nous en manquons cruellement. Mais je suis sûr que la banque m'octroiera une avance. Et n'oublie pas que l'argent rentrera dès que les premiers visiteurs de la ferme franchiront le portail de notre demeure.

– Si c'est le cas, conclut sa femme en imaginant à son tour ce que produirait ce fabuleux ballet de milliers de lépidoptères voletant dans l'air, je veux bien t'aider à réaliser ce projet.

Elle tint sa promesse, en dépit du fait que leur plan fut ralenti par une grossesse, et la venue au monde de son troisième enfant, encore une fille, qu'on prénomma Lisa. Au contraire de sa sœur aînée, cette dernière avait les yeux vairons comme son père et son frère, mais paraissait douce et pure comme un agneau de lait. Elora fut un peu fatiguée par l'accouchement et l'allaitement, même si elle ne le montra guère. Chaque fois que son mari eut besoin d'elle pour mener à bien ses travaux, elle répondit présente dans la mesure où sa nombreuse progéniture lui en laissait le loisir.

Au début, il fallut construire une volière et la recouvrir d'un grillage aux mailles fines, afin que les espèces les plus petites ne puissent s'échapper. Ce fut en quelque sorte la partie la plus facile à réaliser, et sans conteste la plus rapide. Ensuite, il fallut passer à la tâche la plus ardue : partir à la chasse aux papillons. Cette fois, toute la famille fut mise à contribution, chacun des membres en âge de se tenir debout fut muni d'un filet et eut pour consigne de s'enfoncer dans la forêt chaque après-midi après la sieste et d'en revenir avec un ou plusieurs spécimens. Raphaël se révéla un chasseur redoutable et ne fut jamais aussi utile à son père qu'en cette période. Aristide, lui, passa de longues heures à guetter les espèces nocturnes, et aux heures fraîches de l'aube à capturer les papillons les plus rares. À ce rythme artisanal, il leur fallut près de six mois pour se constituer une collection digne de constituer une ferme.

Chaque jour il y avait davantage de lépidoptères dans la volière, et chaque jour leurs ailes colorées dessinaient un tableau aux teintes changeantes. En créant ce lieu d'un genre particulier, Aristide avait bien conscience de deux choses. Tout d'abord, il agissait en qualité de pionnier dans l'île car personne avant lui n'avait osé ce projet. Ensuite, comme tous les pionniers, il devrait subir les quolibets de l'opinion publique qui une fois de plus le traiterait de fou.

— Tu fini'as zombi à t'user le co'ps et la caboche, lui prédit son voisin, Edgar Zim, qui le voyait travailler du matin jusqu'au soir comme une bête de somme. On di'ait que le malin a envahi ton esp'it. Pose tes outils et viens boi'e planteu' !

Aristide acceptait de bon cœur, mais une fois le rhum avalé et la famille du voisin saluée, il retournait en toute hâte à son labeur.

C'est ainsi que, moins d'un an après avoir germé dans son cerveau, et en grande partie grâce au prêt accordé par la banque agricole de Bouillante, la première ferme aux papillons de toutes les Caraïbes vit le jour. C'était une immense volière, presque aussi haute que la maison de bois la protégeant des alizés, remplie de milliers d'espèces de lépidoptères qui ne tenaient jamais en place. Dès le lendemain de son achèvement, les premiers clients, qui n'étaient autres que ceux qui s'étaient gaussés tout au long des travaux, à savoir ses plus proches voisins, vinrent sur la pointe des pieds, intrigués, découvrir la merveille des merveilles.

— Il faut prendre sésame ! leur dit Aristide en les bloquant à la porte d'entrée.

— C'est-à-dire ?

— Me régler les trois francs de la visite de la ferme.

Bizarrement, il n'y eut aucun récalcitrant. Et de l'avis

général, la ferme aux papillons était splendide. Ce qui fit prononcer cette sentence à l'intéressé :

– Cette ferme est une réussite. Comme quoi, les fous ont toujours raison.

Puis, un peu espiègle, il ajouta un dicton de son cru :

– *Faites g'atuit, tout le monde s'ennuie.*

Faites payant, tout le monde repa't content.

Pour une fois, Aristide ne s'était pas trompé et sa ferme connut un réel succès. Un mois à peine après son ouverture, le domaine des Sainte-Rose était l'un des endroits les plus visités de la région, et sa renommée grandissante se propagea d'un bout à l'autre de l'île à la vitesse du son. Le moment que préféraient les visiteurs était celui de l'éclosion des chrysalides, qui leur permettait d'assister en direct à la naissance des lépidoptères. Un spectacle unique, justifiant à lui seul les trois francs du billet d'entrée.

C'était peu dire qu'Aristide était fier de son œuvre. En un sens, il ressemblait comme deux gouttes d'eau à l'*Heliconius cydno*, l'un de ses pensionnaires, un papillon remarquable aux ailes tachetées de bleu et de blanc. En quelque sorte, le roi des papillons déployant ses attributs au milieu de ses sujets.

Il se tenait au centre de la volière, le corps et les cheveux enduits de parfum et portant une tenue éclatant de toute la gamme des couleurs de l'arc-en-ciel. Ainsi se donnait-il en spectacle, souvent recouvert de lépidoptères des pieds à la tête, ce qui le faisait ressembler à une toile vivante, au grand ravissement des enfants. Dès lors, la ferme aux papillons ne désemplit plus, et il fallut bientôt instaurer des horaires et un service d'ordre drastique pour contenir la foule des visiteurs. On eut assez d'argent pour importer de nouvelles espèces du monde entier, par voie maritime, ce qui maintint la qualité et la diversité des espèces.

Jean-Yves Roudil, nommé pour le compte importateur officiel, devint le meilleur allié de la famille. Chaque fin de semaine, il apportait de Bouillante un nouveau papillon, un Papillon-Chouette de Colombie, un Morpho bleu d'Amérique du Sud, un Citron de Provence, un Tabac d'Espagne ou un Apollon d'Europe. Il arrivait à pied par le chemin de la montagne, portant débardeur noir et chapeau de paille, son large sourire aux lèvres, et il pénétrait dans le domaine en s'écriant :

– Voilà le ma'chand de Bouillante ! Venez voir trésors !

Les enfants cessaient net leurs jeux et fondaient sur lui comme une nuée d'insectes, bientôt suivis par Elora et Aristide. Une fois la famille réunie sur la terrasse de la maison, Jean-Yves Roudil posait son sac sur la table et en extirpait une cage dorée et aérée renfermant plusieurs lépidoptères. Parfois une espèce rare aux caractéristiques particulières, comme le fameux *Eustera troglophylla* du Gabon, l'Uranie de Madagascar ou le Bombyx d'Inde. Les enfants battaient des mains, les yeux écarquillés, et bientôt, conquis, Aristide mettait la main au portefeuille.

– Je ne sais pas où tu déniches ces papillons, disait alors Aristide sur le ton de la confidence, mais ce sont les plus beaux qu'il m'ait été donné de voir.

Jean-Yves prenait les billets en souriant et répondait :

– J'ai moi aussi mes fournisseurs.

En vérité, il ne disposait que d'une correspondante colombienne, une certaine Carmen Avila, qui lui envoyait de Carthagène des Indes les espèces les plus rares. Non qu'il y eût là-bas un marché international de lépidoptères, mais on pouvait trouver dans ce pays tout ce qu'on désirait, à condition d'y mettre le prix.

Cette belle Latine aux cheveux noirs et aux yeux sombres était originaire de Sucre, et il l'avait rencontrée un jour par le plus grand des hasards dans sa boutique de Bouillante où elle était venue faire quelques emplettes. Elle n'était que de passage dans l'île, mais c'était comme si, d'une manière ou d'une autre, elle y avait toujours habité. Elle semblait faite pour le soleil et la mer tant sa peau était cuivrée, son sourire solaire et son âme aussi profonde que les abysses du nord de l'île. Dès le premier regard, il était tombé sous son charme et lui avait offert un pendentif en forme de cœur, à défaut de sa boutique tout entière, et même de sa vie si elle le lui avait demandé. La belle, prudente, s'était contentée du bijou qu'elle avait aussitôt accroché à son cou, avait accepté l'invitation à dîner et n'avait succombé à Jean-

Yves que le temps d'une nuit d'amour électrisée, une de ces nuits inoubliables et magiques qui ne survivent jamais à la cruelle lueur de l'aube.

Au petit matin, sans même un baiser d'adieu, elle avait plié bagage avant de s'en retourner en Colombie par le premier bateau. À défaut de se revoir, ils étaient restés en contact et, plutôt que des missives enflammées, s'échangeaient des papillons. Ainsi, grâce à Carmen Avila, Jean-Yves avait pu faire fructifier le commerce d'Aristide d'une manière aussi lucrative que romantique.

– Eh bien, si je m'attendais à cela, avoua un soir Aristide en fermant la grille derrière le dernier client de la journée. C'est du délire. Bientôt il faudra songer à créer une seconde volière. Et sans doute une troisième, si tout va à ce rythme…

– Oui, déclara Jean-Yves, c'est le succès… Tu peux déboucher ton vieux rhum pour fêter ça.

Le succès dura toute une année encore. Mais peu de temps après que Carmen eut envoyé à son correspondant un Sphinx tête-de-mort d'Indonésie, quelqu'un commit un geste irréparable qui précipita la chute de la ferme. On ne sut jamais qui était le coupable, mais cet oiseau de malheur, en sortant de la volière, oublia de refermer la grille.

La nuit passa, indifférente. Et à peine l'aube se profila-t-elle sur le ciel, que le drame eut lieu. D'abord un, puis deux, puis trois lépidoptères recouvrèrent le chemin de la liberté dans les premiers rayons du soleil. Des Papillons-feuilles, des Vice-Rois, des Monarques, des Grands paons de nuit. Bientôt imités par des centaines d'autres. Autant dire que des milliers de billets de banque prirent ce jour-là leur envol pour ne plus jamais revenir.

Lorsque Aristide rejoignit sa ferme, vers dix heures du matin, seuls une dizaine de spécimens demeuraient en cage. Le souffle coupé, il tomba à genoux dans la volière et se mit à pleurer ses premières vraies larmes de souffrance. Il resta toute la journée prostré, sous le regard compatissant de sa famille et de ses voisins. Il savait que les papillons ne reviendraient jamais, et ne se sentait pas le courage de tout recommencer à zéro.

Harassé de désespoir, il ne consentit à sortir de la volière qu'à la nuit tombée, en même temps que le dernier spécimen de la ferme, le fameux Sphinx à tête-de-mort qui avait attendu de voir son ennemi à terre avant de prendre lui aussi le chemin de la liberté.

Avant de refermer la grille de la volière sur le vent des souvenirs, Aristide prononça ces quelques mots qui devaient marquer les mémoires :

– C'est sans doute la dernière fois que je serai ruiné d'une façon aussi poétique.

15

Grand Cul-de-Sac marin

Après l'annonce publique de la ruine de la ferme aux papillons, Aristide Sainte-Rose se referma comme une huître et, en dépit du réconfort d'Elora et de leurs trois enfants, il prit la fâcheuse habitude de diriger ses pas chaque jour vers la falaise surplombant la mer. Là, assis sur un rocher, il contemplait les flots en soupirant. On crut d'abord qu'il voulait en finir avec l'existence. Mais Aristide rétorqua aux Cassandres venus le dissuader de commettre un tel geste :

— Vous n'y êtes pas du tout. Si je reste là pendant des heures, ce n'est pas dans l'intention de me suicider, mais d'étudier la mer.

— Et pour quoi faire ?

— Je veux devenir pêcheur.

Comme son aïeul le capitaine Santa-Rosa, Aristide se sentait marin dans l'âme. Et s'il avait quitté sa terre natale, c'était en partie pour répondre à l'appel de la mer. Aussi, après être resté trop longtemps fiché en terre à cultiver les bananes et les sucreries magiques, ou les yeux au ciel à déchiffrer les astres et le chant des guitares, il ressentait l'appel du large.

La rencontre avec le doyen de Carambole, Eugène Pons, le conforta dans cette opinion car cet homme, outre le fait de lui vendre une vieille barque pour une bouchée de pain, lui enseigna en quelques jours tout ce qu'il savait de l'art de la pêche. Eugène Pons était un vieux créole qui avait toujours vécu de la mer, il possédait l'art d'attraper dans ses filets les plus beaux poissons des Caraïbes, ainsi que les plus belles sirènes, même si cette époque remontait aux calendes grecques.

– Du moment que je suis en me', la vie pa'aît plus légè'e, disait-il.

Eugène avait plus de quatre-vingts ans, mais il en paraissait vingt de moins tant il était taillé dans le roc, passionné par un métier, qu'il avait exercé chaque jour que Dieu faisait, sans même savoir que le seul fait de prendre la mer constituait un labeur éreintant. Peu enclin à tomber dans le piège de l'ennui, buvant peu et ayant arrêté de fumer à l'âge de quarante ans, il avait toujours mené une vie saine, s'était nourri exclusivement de poisson et de riz et n'avait jamais donné prise à une quelconque maladie, si ce n'est une insolation lorsque, un jour de tempête, il s'était perdu avec sa barque au large de Montserrat.

Ce jour-là, Eugène Pons avait cru sa fin venue, et il l'avait cru encore le lendemain et le surlendemain, lorsque les requins étaient venus l'escorter dans ce qu'il pensait être son voyage funèbre vers les profondeurs abyssales du Grand Cul-de-Sac marin. Il avait lutté de toutes ses forces pendant trois jours pour revenir vers le rivage, mais chaque nuit les vents l'en éloignaient à nouveau.

Résolu à mourir, il avait alors adressé une prière à Dieu avant de s'allonger au fond de sa barque, la troisième nuit, certain qu'il ne rouvrirait plus les yeux sur ce bas monde.

Par miracle, au matin du quatrième jour, lorsque Eugène se réveilla, il était échoué sur le sable des Îlets du Carénage. À compter de cet instant, il se sut protégé par les puissances divines et, après quelques jours de repos à Carambole, reprit la mer, en évitant toutefois de sortir les jours de grand vent.

Aristide Sainte-Rose apprit en sa compagnie toutes les techniques de la pêche, de la traîne à la foène pour le poisson de roche, et celles de la pêche au gros en haute mer. Le thon, la daurade coriphène, le barracuda ou l'espadon étaient ses proies de prédilection. Il fit de la plongée sous-marine, même s'il détestait les murènes qui surgissaient gueule ouverte des entrailles des rochers, et se méfiait comme de la peste du corail de feu orangé, terriblement urticant. Un jour de chance, il ferra un thon de deux mètres pesant plus de trois cents kilos et dut batailler trois heures durant pour le sortir de l'eau.

— Te voilà ma'in pou'de bon, lui avait confié Eugène Pons en le gratifiant d'un large sourire assorti d'une accolade.

Et, pour fêter cette pêche miraculeuse, les deux hommes s'étaient saoulés abominablement à la terrasse du café de la plage qu'une certaine Marie-Annick Roudil, la sœur de Jean-Yves, avait eu l'heureuse idée d'ouvrir cette saison dans l'Anse des requins. Comme le lieu était tout aussi charmant et accueillant que celle qui en tenait les rênes, ils ne purent dévisser du comptoir avant la tombée de la nuit, racontant leur exploit à qui voulait l'entendre, jusqu'à ce que le récit, déformé au fur et à mesure de la journée, prît une allure de légende. Ils furent fêtés comme des héros par les clients du bar et Marie-Annick, qui avait le sens des affaires comme son frère, paya une tournée générale en l'honneur des deux héros du jour.

Lorsqu'ils prirent le chemin du retour, ce soir-là, ils étaient si imbibés d'alcool qu'Eugène Pons dut ramper sur les genoux jusqu'à sa maison, avant de s'écrouler sur le perron sans avoir pu entrer la clé dans sa serrure. Quant à Aristide, il réussit à dompter l'escalier qui jouait à se dérober sous ses pieds jusqu'à l'étage, en se demandant pourquoi la tempête secouait si fort la maison.

Cette année-là, en dépit du fait qu'Aristide passa l'essentiel de son temps en mer, Elora tomba enceinte pour la quatrième fois.

En l'absence de son mari parti pêcher le barracuda

du côté des Saintes, elle accoucha un soir de décembre, aidée par l'inévitable sage-femme de Carambole et de quelques voisines qui proposèrent de veiller sur sa déjà nombreuse progéniture.

Aristide ne se douta de rien jusqu'à l'aube, puis il eut une prémonition lorsque, au large de la côte sous le vent, il croisa le chemin des baleines à bosse et entendit leur étrange chant strident.

– C'est l'appel des anges, dit-il en se signant.

Le lendemain, il revint à carambole pour y découvrir son deuxième fils, Daniel, un nourrisson à la peau plissée, aux yeux bleu océan et aux cheveux blonds comme ceux d'un Scandinave. Il avait un teint de chabin, et Aristide sut aussitôt qu'il n'était pas comme les autres.

Dès les premières années de son existence, Daniel se démarqua de ses aînés, délaissant les jeux pour étudier les insectes, la nature et les livres, curieux de tout et avide d'apprendre.

– Cet enfant possède la lucidité d'un vieillard, fit remarquer son père. Il sera quelqu'un de très renommé, un docteur ou un savant, ou pourquoi pas président de la République.

– Au lieu de dire n'importe quoi, rétorqua Elora, tu ferais mieux de t'occuper de son éducation et de celle de ses frères et sœurs au lieu de partir chasser tes poissons.

Bien entendu, Aristide n'écouta pas les conseils de sa femme et repartit de plus belle vers sa quête de l'impossible, sans se préoccuper davantage de sa progéniture. Il rêvait de capturer dans ses filets le plus gros poisson jamais pêché dans l'île et, pour ce faire, passait de longues journées en mer. Cette folle épopée dura tout un an. Puis, à la fin de la saison, Eugène Pons fut atteint d'une fluxion de poitrine et tomba gravement malade. Incapable de reprendre le travail, il dut laisser son compagnon errer seul sur les flots dans le désarroi de la solitude. L'aventure maritime approchait de sa fin. Sans Eugène, la pêche n'avait plus de sens.

Tout se termina lorsqu'une nuit, Elora refit le même rêve qu'autrefois : elle était une sirène chevauchant une tortue et elle entraînait dans les profondeurs ombreuses des fonds marins tous les pêcheurs de l'anse. Le lendemain, elle n'eut de cesse de prévenir son mari du danger qui les attendait.

– Si tu prends la mer aujourd'hui, il va arriver un malheur.

– Mais puisque je ne peux pas mourir avant d'être centenaire ?

– Je n'ai jamais dit que tu allais mourir. Je te conseille seulement de ne pas aller en mer si tu ne veux pas défier les puissances occultes.

Aristide, qui avait toujours pris au sérieux les prédictions de sa femme, et qui se lassait de cette entreprise désormais solitaire, se résolut à y mettre un point final.

– Il est temps pour mon bateau d'entrer en cale sèche, admit-il.

Puis il se leva et se rendit à la plage où l'attendait sa barque et son filet de pêche. Il les vendit contre quelques pièces au premier pêcheur rencontré, avant de contempler longuement la mer. Comprenant qu'il n'y retournerait plus jamais, il respira une dernière fois le parfum âcre des coquillages, du sel et de l'écume, alluma dans ses pensées le phare de la nostalgie et ferma les yeux. Lorsqu'il les rouvrit, il eut un tressaillement. Sur le sable, un scorpion pointait son aiguillon venimeux vers son pied nu. Sans bouger pour ne pas l'effrayer, il saisit une pierre et, d'un geste vif et précis, écrasa l'animal.

– C'est un signe de plus, dit-il en observant avec dégoût l'agonie du scorpion.

Dès lors, il ne vit plus, dans la moire de l'eau, que l'éclat aveuglant de son infortune.

16

Plantation Grand Café

Un matin, arrivèrent à Carambole quatre curieux personnages, quatre créoles aux yeux clairs, aux dents blanches comme de l'émail, et à la gaieté contagieuse. Le cœur sur la main et la main rivée au portefeuille qu'ils sortaient en toute occasion, ils ne pouvaient passer une journée sans s'enivrer, sans faire la tournée des bars des environs, tant leur nature profonde les poussait à jouir de la vie en la noyant dans un bain d'alcool et de grands éclats de rire. Ces joyeux drilles pour qui l'existence était une fête constante, une réjouissance ininterrompue, étaient associés à parts égales et travaillaient ensemble à abreuver non seulement leur foie mais aussi leur compte en banque. Pris individuellement, c'étaient des gens sérieux et travailleurs, mais dès qu'ils se retrouvaient en bande, par on ne sait quel phénomène étrange, ils devenaient aussi inconstants et chamailleurs que des enfants dans une cour d'école.

Ces quatre épicuriens étaient marchands de café et faisaient le tour des commerces de l'île pour vendre leur marchandise, affaire florissante s'il en fut, même si personne ne les vit jamais en tester une tasse.

Le premier d'entre eux, Thierry Larcho, le plus âgé de la bande, était aussi le plus expérimenté dans l'art de la vente. Il avait les cheveux blonds qu'il portait longs sur ses épaules, et un nez proéminent et bosselé – à force, disait-on, que sa femme lui claque la porte au nez. Il aimait user de son charme pour amadouer les clients à qui il soutirait de l'argent avec un doigté digne d'un magicien, sans que jamais personne fût venu se plaindre de ses manières, tant elles étaient dignes d'un gentleman. En outre, il avait le sens de la formule.

– La différence entre le café et le rhum, avait-il coutume de répéter, c'est que le premier sert à noyer le sommeil et le second à noyer les rêves.

Ou encore cette maxime qui avait fait le tour du village :

– Je ne bois de l'eau que pour me désaltérer. Tandis que la bière et le rhum, c'est quand j'ai vraiment soif.

Bref, c'était un gai compagnon qui aimait la vie, et la vie l'aimait. Avec son entregent, il ne lui fallait pas plus d'une heure pour convaincre un patron de bar de lui prendre commande.

Le second, plus petit mais très vif, avait dans le regard une humanité profonde qui en faisait un compagnon à la fidélité sans faille. Il se nommait Pierre Mendez. C'était une sorte de Pierrot lunaire qui semblait doux comme un agneau avec ses yeux d'eau claire et son petit gabarit.

Mais les apparences étaient trompeuses : en un éclair il pouvait vous cueillir d'un uppercut en plein visage et vous mettre KO. Il avait été boxeur dans sa jeunesse et en avait gardé le sang chaud. Seule singularité, il portait un tatouage en forme d'éclair sur le bras. C'était lui qui s'occupait des livraisons et gérait les stocks. Et lui aussi qui conduisait le camion de l'entreprise.

Le troisième homme, de loin le plus massif avec sa carrure de déménageur de pianos, ressemblait à une énorme boule de bowling capable de tout renverser sur son passage. Il se nommait Bouli. Lui s'occupait de la logistique et transportait les caisses de café. C'était une boule de nerfs incapable de rester en place.

Quant au quatrième, le gérant de l'entreprise, il avait nom Jérôme Chaboud. D'une réelle bonté naturelle, toujours de bonne humeur et travailleur infatigable, il buvait lui aussi comme une éponge, mais jamais seul, ce qui l'avait associé à ses trois compagnons de ripaille. Sur son camion était inscrit en lettres noires ce slogan :

AVEC CAFÉ CHABOUD
TIENS ENFIN DEBOUT

Ce jour-là, ils arrivèrent tout ensommeillés dans leur véhicule, ayant fait la fête jusque fort tard dans la nuit avant de dormir quelques heures sur la plage de Bouillante et de prendre la route pour Carambole aux premières lueurs de l'aube. Pierrot avait failli s'endormir plus d'une fois au volant car dans sa tête tourbillonnaient encore les bourdons de l'ivresse, mais il avait tenu bon, se donnant des claques pour se tenir éveillé tandis que ses trois compagnons ronflaient comme des sonneurs à ses côtés.

Lorsque le camion déboucha enfin sur la place du village, il était près de dix heures du matin. Ils s'arrêtèrent devant le café Cocola et, comme à leur habitude, se mirent à jouer la première scène du ballet de l'entreprise Chaboud. À savoir serrer les mains de toutes les personnes présentes dans l'établissement, leur demander des nouvelles de leur santé, de celle de leur famille, de leur travail, de leur poulailler, en leur tapant dans le dos et en riant de leurs bons mots. Puis, une fois que la mayonnaise eut pris, ils passèrent à la seconde scène. Tandis que Thierry et Jérôme, en bons commerciaux, parlaient affaires avec le patron du café, Pierrot et Bouli livraient le café dans l'arrière-boutique. Aussitôt le travail effectué, les quatre hommes échangèrent un regard et, jouant la troisième et dernière scène qui était de loin leur préférée, chacun y alla de son commentaire :

— Bon, les gars, dit Jérôme, il se fait tard.

— Oui, continua Thierry, il serait temps de passer aux choses sérieuses.

— C'est-à-dire ? demanda Pierrot.

— L'heure de prendre l'apéro, mon chouchounet ! conclut Bouli qui en savait long sur le sujet.

Les quatre hommes s'attablèrent aussitôt à la terrasse

du Cocola chauffée par le feu du soleil et commandèrent un premier ti-punch, puis un deuxième, puis un troisième, et enfin un quatrième car il était d'usage dans cette fratrie que chacun y allât de sa tournée, sous peine d'excommunication éternelle. La conversation, déjà peu intelligible, vira alors au surréalisme.

Puis très vite les bulles d'alcool qui leur échauffaient l'esprit firent place à l'eau pure du sens pratique.

JÉRÔME : L'idéal, ce serait de faire torréfier le café sur place au lieu de le faire venir de Pointe-à-Pitre.

THIERRY : Oui, ça réduirait les coûts de transport.

PIERROT : Les gars, vous croyez que c'est possible ?

BOULI : Non, vous savez bien que ça l'est pas. Il y a aucune plantation de café dans cette partie de l'île.

JÉRÔME : C'est à voir. Il suffit de trouver la personne capable d'en produire. Avec le climat chaud et humide de Carambole, ça pousserait comme du chiendent.

Aristide Sainte-Rose, qui se trouvait non loin d'eux, buvant lentement son rhum-banane-goyave-citron vert accoudé au comptoir, choisit ce moment crucial pour intervenir :

– Si vous cherchez quelqu'un pour produire du café ici, je suis votre homme.

Bouli, Thierry, Pierrot et Jérôme se retournèrent, un peu ahuris :

– Qu'est-ce que vous dites ? demanda Pierrot.

Aristide but une gorgée de rhum qu'il garda longtemps en bouche, puis, le plus sérieusement du monde :

– Je suis prêt à faire affaire avec vous... Si, bien entendu, on arrive à s'entendre.

– Venez donc boire un verre avec nous et nous expliquer ce que vous pouvez faire, l'invita Jérôme Chaboud en lui désignant une chaise.

C'est ainsi que naquit la nouvelle lubie d'Aristide Sainte-Rose qui, en moins d'un trimestre, allait le conduire au plus grand désastre de sa jeune carrière d'entrepreneur. Car, pour son plus grand malheur, ces cinq larrons parvinrent à s'entendre si bien ce jour-là qu'il rentra chez lui à quatre pattes et ne put jamais aller plus loin que le seuil où il s'écroula de tout son long avant de sombrer dans les bras de Morphée. Dès le lendemain, après avoir récupéré, il se rendit à Bouillante, acheta des plants de caféiers et les mit en terre sur son domaine. Il était certain que, cette fois, tout se déroulerait comme prévu. Il n'avait qu'à arroser les plants et attendre qu'ils produisent des graines. Ensuite, il faudrait procéder à la cueillette, et c'est à peu près tout. L'entreprise Chaboud s'occuperait bien entendu du reste, de la torréfaction à la vente.

– Je ne vois pas ce qui pourrait arriver de fâcheux avec le café, dit-il à Elora, confiant. Il n'y a rien d'autre à faire qu'à le regarder pousser.

– Le problème avec toi, c'est que tu ne vois jamais rien de fâcheux nulle part, lui rétorqua sa femme.

Hélas pour Aristide, comme bien souvent, Elora eut raison. Ce qu'avait oublié Aristide, c'était qu'une fois sur deux les plants de café ne donnaient pas autant que prévu. Qu'il existait le problème de l'entretien et de l'alimentation en eau pendant les périodes de sécheresse. Que les insectes dévoraient les feuilles, et bien sûr que le caféier mûrit lentement, avant de donner son plein rendement. Mais ce qu'il n'avait même pas imaginé, c'était que toute sa plantation succomberait à la maladie due à un champignon dévastateur, l'*Hemileia vastratix*, ou rouille du café, qui empêche la photosynthèse de la plante. Une fois contaminée, il n'y a hélas plus rien à faire. C'est ce qui arriva moins de deux mois plus tard. Les centaines d'arbustes à feuilles persistantes se desséchèrent un à un comme si un alizé de soufre avait soufflé de la mer et brûlé sur pied toutes les cultures. Au lieu de produire des fruits charnus, rouges, violets, les caféiers donnèrent des baies noires à peine plus grosses qu'une tête d'épingle. Toute la récolte fut perdue en moins de quarante-huit heures.

Lors de leur seconde visite à Carambole, Thierry, Bouli, Jérôme et Pierrot comprirent très vite qu'il leur faudrait trouver un autre planteur de café.

– C'est comme si tout avait été brûlé par le soleil, dit Thierry en émiettant entre ses doigts un plant carbonisé aux deux tiers, et qui avait l'aspect du charbon de bois.

– Oui, répondit Aristide avec dans le regard une lourde tristesse. Le soleil du malheur.

Lorsqu'ils repartirent au volant de leur fourgonnette

dans l'incendie du soleil couchant, Aristide ne vit plus le même slogan inscrit sur la portière :

– Ce n'est pas « avec le café Chaboud, tu tiens enfin debout » murmura-t-il, mais « la vie devient un conte à dormir debout ».

17

Saint-Claude

L'homme survint dans la vie aventureuse d'Aristide Sainte-Rose peu de temps après le grand marasme de la plantation de café. Il se nommait Claude Marin. Il apparut un jour d'octobre, habillé d'un veston crème et coiffé d'un chapeau de paille, chaussé de souliers vernis cirés en miroir, avec au poignet une montre-bracelet étincelante, à l'annulaire une chevalière en or et à la bouche un Havane. Il semblait sortir de nulle part, mais avec élégance et distinction, ce qui excusait toutes ses audaces et toutes ses intrusions. Pour couronner le tout, flottait dans son regard cette lueur singulière qui caractérise les aventuriers depuis que le monde est monde, et donne la force de croire encore alors que tout semble perdu.

Un peu essoufflé par la marche harassante qui l'avait conduit du centre de Carambole jusqu'à la plus haute demeure du village sous un soleil de plomb, Claude Marin sortit de sa poche un mouchoir de flanelle blanche et s'épongea le front. Puis, à pas mesurés, il gagna l'ombre de la terrasse, s'assit lourdement sur une chaise en bois, et demanda un verre d'eau. Elora s'empressa de le lui apporter et, lorsqu'il eut bu jusqu'à la dernière goutte, que la poussière du chemin se fut dissoute, il se tourna vers elle et annonça avec emphase :

— Je suis venu voir le patriarche.

— C'est moi, dit Aristide en surgissant derrière lui comme un chat. Que me voulez-vous ?

L'homme se leva aussitôt avec un sourire extasié, vint saluer chaleureusement son hôte et, après avoir tiré un nuage bleu de son cigare, il annonça d'une voix de stentor qui ne laissait aucune place à la contestation :

— Faire de vous mon associé.

— Associé. Pour quel genre d'affaire ?

— Le genre qui gagne de l'argent.

Devant la mine d'Aristide, Claude Marin agita un mystérieux dossier et ajouta avec douceur :

— Asseyez-vous, je vais vous expliquer.

Ainsi débuta une belle amitié.

De haute et épaisse stature, l'œil bleu azuréen, la poignée de main franche et vigoureuse, le verbe haut et le rire sonore, Claude Marin aurait vendu du sable blanc aux habitants de Sainte-Anne si on le lui avait demandé, non dans le but de soutirer de l'argent à qui n'en avait pas, mais pour prouver au monde et à lui-même que rien ni personne ne lui résistait dans l'art périlleux de la vente. En quelque sorte, il était le pendant du commerçant de Bouillante, Jean-Yves Roudil, à la différence que lui n'avait pas de boutique attitrée et préférait exercer son métier de manière itinérante.

Claude Marin était un pied-noir issu d'une des plus glorieuses colonies françaises, le protectorat du Maroc, et qui avait bourlingué sur tous les continents avant d'échouer aux Caraïbes après bien des escales dans tous les ports du monde. Cet aventurier multicarte arrivait cette fois de métropole avec en tête des projets et en main une somme d'argent conséquente. Voyageur infatigable doté d'un bagou de tous les diables, homme à femmes aimant la fête et le luxe, il savait gagner la confiance des gens avec qui il était en affaire. Après quelques mois passés à sillonner les îles environnantes, de Saint-Martin à Saint-Barthélemy et de Marie-Galante à la Désirade, il avait débarqué à Carambole. En vieux singe qu'il avait toujours été, il avait reniflé là l'odeur envoûtante de la banane. Autant pour faire fortune que pour se désennuyer de vivre, il s'était lancé dans le commerce de ce fruit en rachetant des parts dans la société qui avait employé Aristide. En homme d'affaires, il parlait bénéfices, dividendes, amortissement, masse salariale, bilan, traites et escomptes, termes abscons dont personne à Carambole n'avait jamais entendu parler, avec une aisance telle qu'elle mettait en confiance toute la population. En revanche, il ne connaissait rien à la technique d'exploitation de la banane.

– Monsieu' Ma'in, allez'endre visite à A'istide Santa-'osa. C'est lui le meilleur pour ce gen'e de choses, lui avait soufflé le gardien de la bananeraie qui connaissait les talents de son ancien contremaître.

Aussi, ce jour-là, les deux hommes se retrouvaient-ils assis l'un en face de l'autre à parler affaires sur la terrasse de la maison de Carambole. Deux artistes capables de changer la banane en or. Et comme Claude Marin n'avait guère l'habitude d'y aller par quatre chemins, il ouvrit sur la table le dossier renfermant les contrats et les bilans prévisionnels, exposa en termes clairs et précis les données de l'affaire et conclut par ces termes qui ne laissaient aucun flou :

– J'ai le projet, l'argent, les débouchés… Il ne me manque plus qu'un homme de confiance pour faire fonctionner tout ça et s'assurer que la production sera d'excellente qualité… Voulez-vous être celui-là ?

L'affaire était claire, saine, bien ficelée. Pas un seul nœud, pas un fil ne dépassait de toute cette broderie de chiffres et de lettres formant un canevas si parfait qu'il ne restait plus qu'à signer au bas de la page et tout serait dit. Une simple griffe et le tour était joué. Pourtant, rien ne se passa comme prévu. Aristide Sainte-Rose regarda son interlocuteur fixement, puis, après avoir observé un long, un très long silence, il répondit :

– Je dois réfléchir…

Le visage de l'aventurier laissa transparaître un grand étonnement.

– Très bien, fit Claude Marin en masquant au mieux sa déception. C'est votre droit… réfléchissez autant que vous le voulez… mais n'oubliez pas qu'une affaire pareille ne se présentera pas tous les jours à votre porte.

Jusqu'au soir, Aristide resta plongé dans ses pensées, tournant dans les brumes de son cerveau les tenants et les aboutissants d'une telle entreprise. C'est à peine s'il entendit ses enfants lui souhaiter bonne nuit à tour de rôle, et plus tard, dans la fraîcheur de son lit, lorsqu'il en parla à Elora, il ne sut expliquer pourquoi il était ainsi, mais il avait pris une décision.

— Je ne crois pas que j'aime encore assez l'odeur de la banane pour me plonger dans ce genre d'affaire.

— Alors n'en parlons plus, lui répondit sa femme. Ce sera une faillite de moins à ton actif.

Le lendemain, Aristide retrouva Claude Marin à la pension de famille où lui-même logeait, au tout début de son arrivée à Carambole. Cette même pension où il était rentré chaque soir après une journée de travail à la bananeraie, et qui désormais avait le parfum de la nostalgie. Il se planta devant l'homme vêtu aujourd'hui d'une veste couleur moutarde du plus bel effet.

— Alors, mon cher Aristide, avez-vous pris la bonne décision ?

— Monsieur Marin, elle est même irrévocable. Pour la banane, ce sera non.

— Puisqu'il en est ainsi, répondit l'homme d'affaires d'un ton dépité, nous resterons certes bons amis, mais je crois que vous resterez pauvre tout le reste de votre existence.

Dans les jours qui suivirent, l'aventurier tenta plusieurs fois encore de convaincre Aristide, mais celui-ci resta campé sur ses positions, incapable de changer d'avis. Il était épuisé par ses échecs successifs, et à aucun moment ne pressentit qu'il passait à côté de la réussite. À peine en prit-il conscience quelques mois plus tard, lorsqu'il fut de notoriété publique que les affaires de Claude Marin comptaient parmi les plus florissantes de l'île et qu'il était devenu, en un temps record, l'un des hommes les plus riches et les plus influents de toutes les Caraïbes.

Aussi étrange que cela puisse paraître, Aristide n'en ressentit aucune amertume.

– Ce n'est pas grave, confia-t-il à sa femme avec une certaine dose de philosophie. Après tout, il est peut-être écrit dans le grand livre du destin que je suis condamné à échouer, quoi que j'entreprenne.

– Dans ce cas, approuva Elora, il faut se faire une raison, il est inutile de lutter contre le destin. Ce serait comme vouloir l'obscurité en plein midi. À moins d'une éclipse qui survient environ tous les trois cents ans, cela ne s'est jamais vu.

18

Les Roches Gravées

Cette année-là naquit la cinquième et dernière enfant de la tribu Sainte-Rose, la ratée de la famille, la surnuméraire, la cinquième roue du carrosse, même si elle n'en sut jamais rien car dès sa naissance elle était tombée dans les limbes des déficiences mentales. Elle était si éloignée du monde des humains qu'on la confondit longtemps avec un animal dont elle possédait par ailleurs la candeur et la pureté. Elle se prénommait Martine mais comme elle ne sut jamais prononcer son prénom, on la surnomma Titine, ce qui soulignait encore son exclusion sociale et familiale. On eût dit un vilain petit singe, une guenon, tant elle était différente des autres. Outre son handicap mental, elle était un petit laideron, et était dotée d'un physique si disgracieux qu'elle faisait fuir les enfants du village et hurler à la mort les chiens du voisinage. Avec cela un teint de lait qui contrastait avec la peau cuivrée de ses frères et sœurs. Fort heureusement, elle était aussi douce qu'un ange.

— Il y en a pour qui la vie est un fardeau dès le

commencement, ne put s'empêcher de soupirer Aristide en contemplant l'enfant avec une moue de dépit.

Elora, en bonne mère, eut un jugement moins sévère mais comprit aussitôt qu'il était temps d'arrêter les enfantements.

– Cinq est un bon chiffre. Désormais, je m'en tiendrai là pour le restant de mes jours.

Elle consulta alors la sage-femme de Carambole qui lui préconisa des « tue-l'amour », des bas de contention à porter avant, pendant et après l'acte sexuel destinés à affaiblir la libido de son mari. Pour le cas où cela ne suffirait pas à tempérer l'ardeur du mâle, elle prescrivit pour elle des décoctions de plante à la moutarde, des cataplasmes de colchique à appliquer sur les parties intimes, et pour lui des bains de bromure. Personne ne sut jamais si les recettes de la sage-femme avaient agi, mais il n'y eut jamais de sixième enfant.

En même temps que grandissait le petit épouvantail de la famille et qu'Elora se fermait peu à peu aux choses de l'amour, Aristide Sainte-Rose, poussé par le vent de l'ennui et grisé par les embruns du lointain, se rêva le découvreur du trésor que son aïeul le capitaine Bonaventure Santa-Rosa avait enfoui quelque part dans l'immensité de la forêt tropicale. Cette idée avait germé dans son esprit lorsqu'il fallut débarrasser leur chambre des derniers vestiges de leur jeunesse afin d'y installer le lit de Martine. En voulant déplacer la malle qu'il tenait de son père, qui la tenait de son père qui lui-même la tenait du sien et ainsi de suite jusqu'au fondateur de la famille, Aristide découvrit par hasard, au milieu d'un indescriptible fouillis composé d'effets de pirate, un parchemin rédigé de la main même du capitaine. Ce récit écrit à la première personne contait par le menu ses exploits, du jour de sa naissance en Afrique jusqu'à celui de sa mort dans la mer des Sargasses.

À partir du moment où il tint en main le journal et en lut les premières pages, découvrant avec émoi l'écriture surannée et pourtant si vivante de son ancêtre, ce pirate aux yeux vairons et à la barbe poivre et sel dont il voyait si souvent le visage se refléter dans le miroir de la salle de bains, ce parchemin devint sa Bible.

– La voilà l'éclipse dont tu parlais ! lança-t-il à sa femme, la fièvre aux yeux. Ce texte a été écrit il y a près de trois cents ans et voilà qu'il revient à la lumière seulement aujourd'hui. Comment ne me suis-je jamais aperçu de sa présence alors qu'il se trouvait devant moi ?

Forte du bons sens qui la caractérisait, Elora se borna à assener quelques vérités :

– Des milliers de gens, dans le monde, dorment à côté de trésors sans jamais se rendre compte de rien. C'est d'ailleurs ce que tu fais tous les soirs en me rejoignant dans le lit. Estime-toi heureux de l'avoir enfin découvert, ce manuscrit. Tu aurais très bien pu ne jamais t'apercevoir de sa présence et mourir comme un âne sans l'avoir lu. D'ailleurs tu ne t'es pas plus intéressé à cette malle que tu ne t'intéresses à nous, les enfants et moi, depuis que tu t'es mis en tête de faire fortune. Tu ne nous mérites pas, comme tu ne méritais pas de lire ce cahier avant aujourd'hui. À force de regarder au loin tu ne vois plus ce qui est au bout de ton nez.

Aristide, éberlué, resta sans voix de longues secondes, avant qu'Elora ne lui porte le coup de grâce.

– Au lieu de juger un être sur son apparence, tu ferais mieux de te regarder en face. Et remercie le Seigneur de t'avoir offert Martine, sans elle tu n'aurais jamais rien lu de Santa-Rosa.

À compter de ce jour, Aristide regarda sa progéniture d'un autre œil. Comprenant que l'habit ne fait pas le moine, il s'estima heureux d'avoir une femme si perspicace et intelligente, des enfants aimants à défaut d'être parfaits, et prit en affection Martine qui, sous des dehors disgracieux, était peut-être son ange gardien. Et tandis que ses aînés commençaient à voler de leurs propres ailes, étudiant à l'école de Carambole, que les plus jeunes s'ébattaient dans le jardin noyé de soleil, qu'Elora le laissait en paix car elle avait assez d'ouvrage pour ne pas s'ennuyer une seconde sur les vingt-quatre heures d'une journée, Aristide se plongea avec délices dans le récit du capitaine.

Bientôt, ce qu'il apprit ne lui laissa plus aucun repos. La vie de Santa-Rosa avait été si aventureuse que la sienne, par contraste, lui apparut aussi insipide qu'un jour de pluie. Si l'étrange malédiction lancée sur la lignée par le chaman indien le fit sourire, sa curiosité fut aiguisée lorsqu'il découvrit l'existence du trésor enfoui par son aïeul quelque part dans la jungle de l'île, « près d'une montagne recouverte d'écritures ». Il termina le récit dans la nuit et, à l'aube, s'en alla retrouver Elora qui, les yeux encore gonflés de sommeil, attendait que la maisonnée se réveillât.

– Ce n'était pas un homme, mais le diable en personne que mon aïeul ! s'écria Aristide. En tout cas, il avait des couilles en plomb pour faire ce qu'il a fait.

Elora le regarda comme s'il tombait de la lune.

– Si les tiennes étaient en or, cela me suffirait, répondit-elle en bâillant.

– Je te promets que demain, elles le seront... ou ne seront plus du tout. Car je suis prêt à perdre mes bijoux de famille pour retrouver le trésor du capitaine Bonaventure Santa-Rosa !

Le jour passa sans qu'il s'accorde une minute de repos. La nuit suivante il dormit peu, assis à la table du salon, lisant et relisant le manuscrit jusqu'à le connaître par cœur. Il cherchait à deviner où reposait ce fameux coffre que le capitaine évoquait et dans lequel il prétendait avoir amassé cinquante pièces d'or. Rien ne permettait de le localiser avec assurance. Rien, sinon quelques présomptions le menant du côté des Roches Gravées. Cet endroit, qui se trouvait en plein cœur de la forêt, il le connaissait de réputation mais ne s'y était jamais rendu, pas même en compagnie de Léonard Montréal.

– Dans ce cas, dit-il en assenant un coup de poing sur la table, je sais ce qu'il me reste à faire.

Alors que les premières lueurs de l'aube se levaient à l'horizon et enflammaient de leurs feux orangés les rideaux du salon et sa deuxième nuit sans sommeil, il se leva, hagard, et alla fouiller dans la malle de son ancêtre. Il en extirpa de vieux vêtements mités sentant le rance que personne n'avait plus portés depuis des lustres ainsi qu'un pistolet de flibustier hors d'usage et un sabre d'abordage dont la lame était si ébréchée qu'elle n'aurait pas fait de mal à une motte de beurre. Il s'en affubla sous le regard ahuri de sa femme et de ses enfants, qui un à un sortaient de leur lit, puis fit les cent pas dans le salon, dégainant tour à tour le pistolet et le sabre à la face d'un ennemi imaginaire.

– Qu'est-ce que tu fais ? Ce n'est pourtant pas carnaval. Tu ferais mieux d'aller te coucher et de retrouver tes esprits.

Mais Aristide ne l'entendait pas de cette oreille.

Vêtu comme son aïeul l'avait été deux siècles plus tôt, il sortit en trombe de la maison et courut dans le jardin en claironnant :

– Je suis le capitaine Bonaventure Santa-Rosa ! Je suis le capitaine Bonaventure Santa-Rosa !

– Qui ça ? demanda avec effroi son voisin Edgar

Zim, en pointant sa tête hirsute et à moitié endormie à la fenêtre de sa chambre.

Aristide lui jeta un regard de dément et, reprenant son rôle de pirate barbaresque, continua avec emphase :

— Je suis Santa-Rosa et je reviens des Enfers pour chercher mon trésor enfoui dans le secret de la jungle tropicale !

Alors, brandissant le sabre dont il cinglait l'air avec énergie, il s'enfuit en courant sur le chemin de la forêt et disparut dans un hurlement sauvage.

— Il est devenu complètement timbré ! s'écria Edgar Zim.

— Non, rétorqua Elora avec calme. Il a juste retrouvé son état normal.

Personne ne le revit durant le reste de la semaine. En vérité, il passa tout ce temps dans la moiteur et l'enfer de la jungle tropicale, errant comme une âme en peine à la recherche d'un trésor qu'il savait pour une bonne part imaginaire, car Santa-Rosa le pirate n'avait peut-être pas dit la vérité.

— Tous les corsaires sont menteurs comme des arracheurs de dents ! Et d'ailleurs pourquoi enterrer un trésor plutôt que d'en profiter de son vivant ? rageait-il à haute voix.

Puis, l'instant d'après, il se reprenait et changeait d'avis :

— Oui, mais s'il l'avait fait pour se soustraire à la malédiction de l'échec et que personne, depuis, n'avait rien entrepris pour en retrouver la trace ?... Dans ce cas, le trésor existe et doit se trouver non loin d'ici...

Ces contradictions, ces élans, ces hésitations, ces allers-retours de l'esprit furent les seuls compagnons d'Aristide et finirent bientôt par former dans son cerveau une sorte de marais malsain propice à la germination de la folie. Campé dans sa déraison, il décida d'aller jusqu'au bout de son aventure et, dès lors, rien ne put entamer sa détermination. L'explorateur qu'il était devenu se nourrit de fruits et d'eau fraîche, s'éclaira la nuit d'un flambeau de bois-chandelle, dormit à l'abri des palétuviers et lutta contre les moustiques, les bêtes sauvages et la chaleur avec l'aplomb d'un aventurier au long cours, même si en vérité il découvrait pour la première fois le bonheur intense et troublant de la liberté.

Hélas, la fièvre de l'aventure se changea bientôt en fièvre des marais, et, sentant ses forces décliner, il se décida un beau matin, après des semaines de recherches infructueuses, à rebrousser chemin vers Carambole. C'est à cet instant précis, alors qu'il ne cherchait plus, après s'être maintes fois égaré dans l'immensité de la jungle et les marigots de la folie, qu'il trouva la trace des pétroglyphes et de la grotte des Roches Gravées. L'entrée du sanctuaire tant convoité se trouvait à flanc de montagne, au milieu de nulle part. Il tomba en arrêt devant l'anfractuosité et, d'un signe de croix, remercia le Seigneur de l'avoir conduit au bout de sa quête. Puis, avec respect, il entra enfin dans le saint des saints, souffle court et yeux écarquillés, à la lueur de son flambeau. Les pierres sur lesquelles il était le premier à poser le regard depuis bien longtemps étaient si belles qu'il en fut transi. Il y en avait des milliers, sur lesquelles une civilisation disparue avait inscrit d'étranges signes. Mais il eut beau inspecter chaque recoin de la grotte, il ne trouva nul trésor.

C'est alors qu'il découvrit ce message sur l'une des pierres, et qui était signé de la main du capitaine Bonaventure Santa-Rosa, un message qui, par-delà le temps, s'adressait à lui :

> *Celui qui cherche ne trouvera rien*
> *Que son reflet dans le miroir*
> *Alors que celui qui ne cherche rien*
> *Passera à travers le miroir*
> *Sans même s'en apercevoir*

Aristide comprit alors trois choses : il n'y avait jamais eu de trésor – ou bien il se trouvait ailleurs, ou quelqu'un était passé avant lui. Il sut aussi qu'il portait sur lui le mauvais œil et ne retrouverait jamais le chemin de la raison tant qu'il s'obstinerait à chercher ce qui ne pouvait être atteint. Enfin, il ne pourrait connaître le bonheur tant qu'il ne serait pas délivré de cette terrible malédiction de l'échec.

19

La Maison du Crabe

Lassé, épuisé par toute cette énergie dépensée pour rien, harassé par ces idées qui se fanaient à peine écloses, telles les fleurs vénéneuses de son imagination, qui en l'éloignant de sa femme lui avaient fait perdre à jamais cette femme rêvée, Aristide Sainte-Rose en conclut qu'il ne serait jamais libre parce qu'il était né les yeux vairons. Il se laissa dépérir, convaincu que le destin de sa famille était de se débattre dans la fange dans laquelle elle s'enlisait depuis des siècles, et que lui-même ne pourrait jamais s'extraire du sort où l'avait jeté le hasard de sa naissance. Après avoir atteint le paroxysme de l'action, le pic de l'hyperactivité et le sommet de la volonté, il dévala la pente de la dépression et sombra dans les abysses du découragement et de l'abattement. Pis encore, son cerveau ne commandant plus à son corps de se défendre contre les vicissitudes de l'existence, rongé de chagrin il se laissa mourir à petit feu.

Tout commença par une légère indisposition ponctuée de vomissements de bile, puis par une pharyngite chronique, suivie d'une crise de paludisme qui le fit trembler des pieds à la tête et suer comme s'il était pris de la fièvre de Malte, enfin il fut assailli par des crampes et perclus de douleurs. Pour couronner le tout, une éruption de pustules ouvrit de petits cratères sur tout son corps et son teint vira au jaunâtre le plus inquiétant.

Il se laissa sombrer dans le désespoir, s'enferma dans sa chambre, s'allongea sur son lit et ne se releva plus pendant de longs mois.

Le médecin de Bouillante, Jean-Dimitri Économe, qui vint à son chevet dès les premiers jours du mal, déclara après auscultation que le malheureux se rongeait de la fièvre de la solitude. Contre cette maladie de l'âme, il n'existait aucun remède. Il préconisa toutefois des bains de jouvence à la fleur d'eucalyptus, des tisanes de fleurs-dragon, des cataplasmes au camphre et à l'huile essentielle de jasmin et des bains solaires d'héliotropes. Le temps passant, voyant que ces remèdes n'avaient aucun effet sur l'évolution de la maladie, il changea de politique et préconisa, à dose infinitésimale, des infusions de mandragore, des potions d'arsenic et des pommades à la belladone.

Il tenta également le soin psychologique, conscient que se trouvait là le nœud du problème, tenta de raisonner le malade, de le rappeler à ce qui faisait la beauté de l'existence : sa femme et ses enfants, la chaleur du soleil et le parfum de la mer, la vertu du rhum et le pouvoir de l'amour. Mais rien n'y fit. Rien ne semblait pouvoir pénétrer l'épaisse glace noire dont s'était caparaçonnée l'âme d'Aristide.

Aussi, lorsque trois mois furent passés sans que ni son corps ni son esprit daignent prendre le chemin de la guérison, et alors que le malade ne consentait plus qu'à avaler un bout d'ananas et un gobelet d'eau, en dépit de la prédiction d'Elora affirmant qu'il vivrait centenaire, la certitude vint à tous qu'il vivait ses dernières heures sur cette terre.

Le jour où il ne fut même plus en mesure de proférer le moindre son, et qu'il ne put ouvrir les paupières, on se prépara aux funérailles imminentes.

Elora, sans ployer sous le poids du malheur qui s'abattait sur ses épaules, força ses enfants à faire leurs adieux à leur père en s'agenouillant une dernière fois devant le lit de l'agonisant, convoqua le curé du village pour l'extrême-onction, commanda une messe pour la semaine suivante et fit préparer un cercueil par le menuisier du village. Quant au caveau, il fut tout trouvé : c'était la concession au cimetière qu'il avait achetée avec l'argent des sucreries magiques.

– Avez-vous rêvé de sa mort, ou bien prenez-vous simplement de sages précautions ? lui demanda le curé.

– Je croyais qu'il mourrait dans sa centième année… Mais il semble que je me sois trompée et qu'il est plus prudent d'agir ainsi…

– Je n'en doute pas, mais si par hasard vous vous trompiez à nouveau et que cette situation s'éternisait…

– Dans ce cas, rétorqua Elora avec l'aplomb qui la caractérisait, cela nous servira de répétition pour le véritable enterrement.

Devant la mine ahurie du curé, elle ajouta :

– Je n'ai pas rêvé la mort d'Aristide. J'ai seulement aperçu en songe un crabe qui brûlait et tombait en cendres... Et qui avait tout à la fois la tête de mon mari et du capitaine Bonaventure Santa-Rosa... C'est donc qu'il va se passer quelque chose d'important et d'irrémédiable très prochainement.

Elora disait vrai. Dans son rêve, le fameux crabe apparu tour à tour avec le faciès d'Aristide et celui de l'aïeul s'était embrasé comme une boule de feu avant d'être réduit en cendres et de se disperser dans les spirales du vent. Elle n'avait eu aucun mal à reconnaître Bonaventure Santa-Rosa en costume de pirate, avec sabre d'abordage et bandeau sur l'œil. Mais le plus étrange, et ce qu'elle n'avait avoué à personne, pas même à sa propre conscience, c'est qu'il n'avait plus les yeux vairons, mais une abeille d'or dans chaque prunelle.

Elora comprit la signification de son rêve lorsque, le lendemain de son entrevue avec le curé de Carambole, un chaman indien arriva au village en chantant et en psalmodiant des incantations, entouré d'une nuée d'abeilles. Il était vêtu d'une longue chemise bariolée qui sentait la naphtaline et le tabac froid. Il avait une longue barbe blanche, des yeux couleur d'or, un talisman en forme de coquillage autour du cou et de longs cheveux blancs tombant sur ses épaules décharnées. Il ressemblait trait pour trait au crabe entrevu dans son rêve, avec le faciès d'un homme revenu du royaume des morts.

Elora ne sut jamais s'il venait du monde terrestre ou de quelque contrée parallèle, ciel ou enfers, mais elle comprit qu'il était un esprit que le destin avait conduit jusqu'à sa demeure pour mettre un terme à l'agonie d'Aristide.

L'homme, installé sur la place, assis en tailleur au pied d'un frangipanier, prétendait avoir le pouvoir de faire tomber la pluie, guérir les oreillons, cautériser les blessures d'amour et rendre la vie agréable et douce à qui suivait ses préceptes et récitait ses mantras. On n'en crut rien tout d'abord, tant il paraissait illuminé et peu soucieux de lui-même, mais lorsqu'il répandit sur le sol une poignée de poudre bleue et que de la terre se mirent à jaillir des fleurs jaunes et bleues, on le regarda d'un autre œil.

– C'est un grand magicien ! murmura l'une des femmes présentes sur la place au moment du prodige.

– Ou un drôle de charlatan, ajouta un voisin en rigolant.

– Dans ce cas, dit un troisième, athée sur les bords, qu'il aille guérir Aristide et je croirai à nouveau en Dieu.

Le chaman, lorsqu'on lui expliqua de quoi il retournait et qu'on lui indiqua le chemin de la demeure des Sainte-Rose, se mit aussitôt en route.

– Je me nomme Tiziano, l'homme-médecine, dit-il en se présentant sur le seuil de la maison, et j'ai entendu dire que l'un d'entre vous était près de mourir.

Comme il avait l'air de croire à ce qu'il disait, on le mena sans tarder dans la chambre du mourant et, dès que le chaman pénétra dans la pièce – il était si grand qu'il lui fallut se plier pour passer sous le linteau – on comprit qu'il allait se passer quelque chose.

Le réduit était devenu un sanctuaire délétère, un caveau aux miasmes putrides, et personne ne douta qu'en franchissant cette porte on violait une tombe.

Aristide était allongé sur son lit, pareil à une momie égyptienne, le corps enserré dans un bandage à l'huile de camphre que lui avait confectionné Elora et qu'elle changeait tous les jours. À son chevet, des bougies parfumées au musc dégageaient une si forte odeur qu'on en avait la tête toute chavirée.

– Ouvrez en grand la fenêtre, éteignez les bougies et ôtez-lui ce bandage, ordonna l'homme-médecine en s'approchant du malade.

Ce qui fut aussitôt fait dans le plus grand calme car ce Tiziano inspirait la sérénité. Il tomba alors à genoux sur le sol – et même en faisant cela il dépassait les autres d'une demi-tête – puis posa sa main glacée sur le front du malade. Il y eut un bruit de fusion, comme un bloc de glace qu'on pose sur un lit de braises, et on vit dans la pièce des nuées de fièvre de solitude s'étoiler dans l'air comme des lucioles. Le chaman, sans ôter sa main, commença à réciter une prière dans une langue inconnue, mais qui semblait mâtinée d'italien, d'araméen et de créole. Il y eut alors comme un souffle d'air frais dans la pièce, un souffle pur et étincelant qui balaya jusqu'à la moindre bouffée d'air vicié, jusqu'au moindre miasme.

Un grand soleil se mit à rayonner à travers la chambre, inonda les fissures des murs et les joints du carrelage au sol, et la vie revint peu à peu.

C'est alors qu'il se produisit un prodige digne de la résurrection de Lazare : comme un serpent fait sa mue, la peau d'Aristide tomba en lambeaux, la carapace de glace qui isolait son âme se mit à fondre et les plaies purulentes de son corps disparurent comme par enchantement.

Bientôt, Aristide put ouvrir les yeux et poser sur le monde un regard qui semblait tout neuf :

— Est-ce qu'il reste de la soupe de tortue et du flancoco ? C'est que j'ai une faim de tous les diables ! furent ses premières paroles depuis bien longtemps.

— C'est un miracle ! s'écria Elora. Il est mort et ressuscité comme le Christ !

Les enfants qui assistaient à la scène n'en crurent pas leurs yeux, quant aux plus petits, affolés par les cris de leur mère, ils sanglotèrent et s'enfuirent en courant parce qu'ils étaient persuadés que leur père s'était changé en serpent.

L'homme-médecine, une fois la guérison accomplie,

se releva et, épuisé, sortit de la pièce et réclama à boire pour recouvrer le fluide magnétique qui coulait dans ses veines et en faisait un mage. Elora s'empressa de le satisfaire, l'installant à son aise sur la terrasse, lui apportant un plateau rempli de fruits et de sucreries, de nectar et de douceurs. Le chaman se contenta d'un morceau de pastèque et d'un jus de citron vert additionné de sucre, puis se leva, rajusta son sari et annonça d'une voix très calme :

— Je dois repartir, il est déjà tard...

— Déjà ? Vous ne voulez pas passer la nuit à Carambole ? demanda Elora, un peu surprise.

— Une autre fois, avec plaisir, mais ce soir je sais qu'on m'attend ailleurs, répondit-il, un large sourire aux lèvres.

— Il serait pourtant plus prudent de...

Tiziano se pencha sur Elora et, de sa large main, enserra le bras de la femme avec fermeté et douceur :

— Ce serait dérégler l'ordre cosmique des choses... Je ne suis pas vraiment de ce monde... Et puis votre mari ne peut pas mourir encore, vous le savez aussi bien que moi... Cela viendra plus tard, beaucoup plus tard, lorsque tout ne sera que poussière.

Elora, pour une fois battue sur son propre terrain, consentit à le laisser partir car elle savait qu'il disait vrai.

L'homme-médecine joignit les mains comme pour une prière et prit congé. On le vit s'éloigner sur le chemin, ombre étrange et fantomatique entourée d'une nuée d'abeilles d'or, puis disparaître comme il était venu, sans faire plus de bruit qu'une fourmi dans un champ d'herbe, car il était dans sa nature de ne pas déranger l'ordre du monde, fût-ce le battement d'ailes d'un colibri dans un matin d'été.

20

Route de la Falaise

Peu après la guérison miraculeuse d'Aristide Sainte-Rose par l'homme-médecine, apparut un autre miracle, mais qui cette fois relevait moins de la main de Dieu que du génie des hommes : comme l'avait annoncé Jean-Yves Roudil, le chemin de fer parvint jusqu'à Bouillante. Dans le labyrinthe des tamariniers bordant la mer, on vit apparaître un jour de septembre un long serpent de fer qui se mit peu à peu à dénaturer le paysage. Dérangeant les bourgeois paisibles et les paysans fatigués dans leurs siestes, son installation s'accompagnait d'une cohorte de techniciens, de chefs d'équipe et d'ouvriers, pour la plupart des créoles de basse terre, venus récolter de quoi vivre en louant leurs bras à la compagnie des chemins de fer créole. Bientôt, on construisit une gare et la ligne se poursuivit jusqu'à la pointe sud de l'île.

— Alors, qui de nous deux avait raison ? demanda un jour Jean-Yves Roudil au patriarche.

— C'est toi, admit Aristide.

– Désormais, c'est la population entière de l'île qui va débarquer ici, ce qui va faciliter nos affaires.

Aristide n'avait pas pensé à cet aspect des choses, mais dès que le commerçant de Bouillante lui fit entrevoir la porte qui s'ouvrait à lui, il se mit à bénir celui qui avait eu l'idée d'installer un tel moyen de transport dans un des coins les plus reculés de l'île.

– Grâces soient rendues au maire. Cette fois, c'est la voie du succès qui s'ouvre à nous.

Le chemin de fer ne vint pas seul révolutionner la vie des habitants de la région. Avec lui apparut la fée électricité. Les premiers éclairages publics, ainsi que les premiers groupes électrogènes, furent installés dans l'île en même temps que le patriarche de Carambole reprenait goût à la vie.

– C'est la voie du progrès, affirma Aristide en regardant le village s'illuminer et les premiers trains arriver jusqu'à Carambole. Bientôt, nous n'aurons plus besoin de travailler pour vivre et nous serons heureux comme des papes en Avignon.

– Au lieu de dire des bêtises, tu ferais mieux d'aller me chercher du bois pour faire chauffer le dîner, lui rétorqua sa femme qui, en dépit de son art de la divination, n'avait pas encore mesuré tout l'apport de ce siècle de mutation, et avait encore du mal à accepter qu'on eût besoin de s'éclairer en pleine nuit et de monter dans cette machine à vapeur du diable pour aller on ne savait où.

– Si le Bon Dieu a créé la nuit, reprit-elle, c'est pour que l'homme se repose, pas pour autre chose. Et si l'homme est sédentaire, ce n'est pas pour courir le monde dans un carrosse en métal.

Ce qu'elle craignait surtout, c'était qu'avec ces inventions diaboliques, et aussi avec le regain de santé de son mari, les mêmes lubies recommencent.

– On entre de plein fouet dans l'ère moderne, lui annonça son mari, tout revigoré par cette nouvelle trouvaille du génie humain, et même au milieu d'un village perdu dans une île perdue dans la plus perdue des mers du monde, on peut se croire au centre de l'univers !

Il était penché au-dessus de la table du salon, à onze heures du soir, occupé à relire le cahier de Santa-Rosa à la lueur de la première lampe à néon installée dans la maison de Carambole. Mais ces propos choquèrent la personne conservatrice qu'était Elora, habituée depuis l'enfance à se débrouiller seule, sans l'aide d'artifices, et surtout ceux produits par le gouvernement.

– L'électricité ne sert qu'à alimenter les caisses du trésor public, assena-t-elle en coupant la lumière. Le train coûte cher et dénature le paysage. Et tu as lu ce cahier des centaines de fois. Tu ferais mieux d'aller te coucher au lieu de rêver à des chimères !

Par chance, Aristide n'écouta sa femme qu'à moitié. Il alla se coucher ce soir-là et dormit du sommeil du juste, sans penser à faire fortune avec quelque projet que ce soit. Mais dès le lendemain, il se rendit au marché de

Bouillante, et c'est alors que survint l'épisode de l'alambic et de la découverte du coffre dans la rivière sur la route de la traversée. Dès qu'il revint avec l'appareil infernal et les dix pièces d'or, sa vie changea du tout au tout. Car dès le mois suivant l'achat de l'alambic survint un paradoxe comme seul le destin sait en produire.

En ce temps-là, la majeure partie des habitants de l'île vivaient en dessous du seuil de pauvreté, à l'exception des propriétaires terriens, des vieilles familles et des membres du gouvernement. L'homme qui dirigeait cette clique de spoliateurs sans scrupules n'était autre que le gouverneur de l'île, le général Dode, et même s'il était plus honnête et moins affairiste que la plupart des membres de son équipe, il était pris dans le piège du pouvoir et de la politique et ne pouvait faire voter des lois qui, toutes, devaient obtenir l'aval du parlement, une armada de vieux filous qui se contrefichaient des intérêts du peuple.

La première erreur des autorités fut d'augmenter le prix du pain et du rhum, du jour au lendemain, sans consulter la population. Ce fut le début de terribles émeutes qui durèrent près d'un mois et enflammèrent l'île comme s'enflamme un lit de braises dormantes.

La ligue révolutionnaire appela à la révolution, et sans la présence de l'armée, nul doute que le peuple serait parvenu à renverser le gouvernement.

Le maire de Bouillante, un certain Franck Silvin, personnage tout en prestance, énergique, et efficace, droit et humain, fut l'un des seuls à s'opposer au gouvernement et à accompagner la population dans sa révolte. Il autorisa les manifestations dans sa ville et réclama le retour aux anciens décrets, ainsi que l'instauration des plafonds pour fixer les prix des denrées de première nécessité.

– Du pain et du rhum, c'est la vitamine des hommes ! fut le slogan trouvé par le bouillonnant maire de Bouillante.

Il reçut le soutien sans faille d'Aristide Sainte-Rose qui, voyant là une occasion unique de se faire de la publicité aux frais de l'État, proposa de distribuer gratuitement toute sa production de l'année, non sans envoyer la note à la municipalité qui paya sans rechigner, mais à l'ancien prix, soit trois fois moins que le prix fixé par le décret gouvernemental.

Le général Dode, attaqué de toutes parts, dut reculer, et le parlement voter une nouvelle loi qui abrogeait le décret honni. Dès lors, le prix du rhum fut plafonné, et comme celui de la distillerie de Carambole était de bien meilleure qualité que les autres, la fortune des Sainte-Rose fut faite.

– Vive la révolution et à bas le général Dode ! s'écria Aristide devant le palais du gouverneur.

Puis il rentra chez lui, convaincu que la voie de la politique ne menait à rien d'autre qu'à perdre son âme et que tous ceux qui en usaient n'étaient que des profiteurs.

21

Rivière Salée

Elora Sainte-Rose avait désormais cinq enfants, sans compter un mari qui était le plus juvénile de tous et lui apparaissait, par son côté fantasque et créatif, comme le sixième de la tribu. Tandis qu'Aristide passait ses journées et une partie de ses nuits dans la distillerie, occupé à transformer la canne à sucre en or brun, ou à expérimenter une nouvelle technique de distillation, en automatisant une partie de la manœuvre, bref se creusait la cervelle pour améliorer son outil de production pour vendre toujours plus à moindre coût, elle tenait son ménage d'une main de fer. Certes, elle commençait à comprendre que la roue de la chance avait tourné, mais elle n'en avait pas la tête chavirée pour autant. Avec ce fatalisme caractérisant les femmes de cette partie de l'île, elle continuait comme à l'ordinaire à gérer le quotidien avec économie, qu'il s'agisse des comptes, du linge ou des repas. Elle ne se plaignait de rien, dotée d'une robustesse physique et morale à toute épreuve. En outre, elle avait à la maison deux filles dévouées et aimantes qui ne la quittaient pas d'une semelle et l'aidaient dans les nombreuses tâches ménagères, deux garçons pleins de ressources secondant leur père dans ses multiples activités, et une petite dernière encore trop jeune pour faire autre chose que rester assise dans l'herbe à jouer tout au long de la journée.

— Si je ne tenais pas la barre de ce navire, disait Elora en soupirant, je crois qu'il sombrerait corps et biens par mille mètres de fond.

Peu avant qu'Aristide vît apparaître la silhouette du capitaine Santa-Rosa dans le miroir de la salle de bains et décide de partir au marché de Bouillante d'où il était revenu avec l'alambic, elle avait cru que la malchance ne les quitterait jamais. Mais maintenant que la machine installée derrière la maison distillait chaque jour davantage de rhum, et que chaque jour la famille devenait un peu plus respectable et un peu plus riche, elle sut que la roue du destin avait fait un tour complet sur elle-même. C'est alors que, toujours très attachée aux prédictions, elle déclara :

— Après sept années de vache maigre, voici enfin le temps du gras.

Ce furent les grandes années d'abondance de la distillerie de Carambole. À la place du vieil atelier, on construisit un immense local en bois au milieu duquel trônait le vieil alambic, ainsi qu'une petite boutique à l'extérieur pour la vente sur place. On produisait du rhum toute l'année, achetant la majeure partie de la production de canne à sucre de la région, et le nom de *Rhum Caraïbes* devint célèbre dans toute l'île, et même au-delà.

Un potentat sud-américain de passage à Pointe-à-Pitre, un certain Hugo Valdera, eut l'heur de goûter le breuvage à la fin d'un repas et il fut fort étonné par la qualité de son arôme. Il l'apprécia tant qu'au moment de retourner dans son principicule, il emporta dans ses bagages une caisse du fameux nectar, et ne put laisser passer une journée sans en boire en compagnie de ses ministres, ce qui eut des conséquences politiques assez rares : au fur et à mesure que les importations d'alcool augmentaient, les impôts de son pays baissaient, pour la plus grande joie de la population. On dit même que des condamnés à mort furent graciés quelques minutes avant leur exécution. Le Rhum Caraïbes fut adopté par une grande partie de la population à qui le gouvernement offrit des prix défiant toute concurrence, et devint même boisson nationale. Hugo Valdera, fort de ce succès inattendu, brigua un second mandat et fut réélu à une majorité écrasante, près de 98 % des voix. Un résultat dont personne n'aurait osé rêver, pas même les membres du parti populaire qui avaient bourré les urnes avec de faux bulletins de vote.

Par la suite, les journalistes firent une telle publicité au Rhum Caraïbes que tous les grands de ce monde, jaloux du score pharaonique de Valdera, voulurent aller de leurs commandes, faisant du Rhum Caraïbes le seul rhum qui vaille dans le monde des puissants.

L'argent qui avait tant fait défaut aux Sainte-Rose pendant ces longues années d'échec se mit à pleuvoir sur le patriarche comme eau en mousson. Bientôt, ils eurent tant d'argent qu'ils ne surent quoi en faire. Lorsque Aristide allait retirer à la banque le fruit de son travail, toujours en espèces, il lui fallait remplir des sacs de toile jusqu'à la gueule et charger le tout sur une brouette remplie à ras bord de billets flambant neufs.

Enfin débarrassé du souci d'argent, Aristide put prendre un peu de repos et contempler son œuvre. Il avait une femme aimante, cinq enfants dont certains promettaient d'avoir une vie meilleure que la sienne, une rhumerie qui fonctionnait à merveille et la satisfaction du devoir accompli. Retrouvant une nouvelle fois le visage du capitaine Bonaventure Santa-Rosa dans le miroir de la salle de bains, il plongea son regard dans les yeux vairons de son aïeul et lui confia avec une sérénité nouvellement acquise :

– Désormais, je vais pouvoir vivre en paix.

22

Fleur d'Épée

Aristide Sainte-Rose n'allait jamais connaître cette paix intérieure qu'il recherchait tant. Il était écrit dans le grand livre du destin que sa vie serait soumise à la malédiction jusqu'à son dernier souffle.

Première ombre majeure au tableau, cette longue maladie de l'âme avait profondément modifié son caractère. De l'homme actif, inventif et épicurien qu'il avait été, il se transforma peu à peu en une statue de marbre qui attend désespérément le dernier coup de burin du sculpteur. Car si la rhumerie ne le lassa jamais, maintenant que le succès était survenu, l'enthousiasme n'y était plus.

— Tu comprends, souffla-t-il à Elora en tentant de se justifier, moi ce qui me plaît, c'est de chercher des trésors, pas de les trouver.

Sa femme, qui n'avait toujours pas perdu le nord et savait apprécier cette manne tombée du ciel, lui rétorqua :

— Ce que je comprends surtout, c'est que tu as perdu la tête depuis longtemps.

Pour comble de malchance, comme l'avait prédit Elora le jour de sa naissance, Raphaël commença à leur empoisonner l'existence dès ses dix-huit ans. Il avait été un enfant solitaire, désobéissant et caractériel, mais ne leur avait pas causé trop de soucis tant qu'il était resté à Carambole. Du jour où il quitta l'école et partit sur les routes de l'aventure, il devint intenable et ne retourna plus à la maison que de loin en loin, entre deux voyages. Pour beaucoup, Raphaël Sainte-Rose était le fruit véreux de la famille, et sa réputation déjà si bien établie que nul ne douta qu'il serait le mouton noir du clan pour les générations à venir.

C'était devenu de surcroît un homme à la beauté troublante qui allait bientôt suivre le chemin périlleux de la passion amoureuse, pavé de mauvaises intentions tout autant que de délicieux vertiges.

La femme qui le dépucela était une experte dans les choses de l'amour, et elle lui apprit tout ce qu'un homme rêve de faire avec une créature offerte aux jeux de la sensualité. Il lui en sut gré toute sa vie. Cela faisait longtemps qu'il attendait de devenir un homme et, pour cela, il lui fallait, croyait-il, une garce de la pire espèce car il voulait tout connaître de l'amour en une seule fois sans passer par les marécages des sentiments et de la désillusion. D'ailleurs il ne l'aima jamais que pour la rondeur de sa croupe tant il se savait le cœur aussi sec qu'un arbre mort.

Le mari trompé, un certain Hégésippe Tonnerre,

charcutier de son état, eut vent de leurs ébats et voulut se faire justice lui-même en saignant Raphaël comme un cochon. Après avoir administré une correction à sa femme, il passa un après-midi entier à affûter la lame d'un couteau de boucher contre une pierre à fusil. Mais au dernier moment, pris de remords, il renonça à laver son honneur dans le sang et à finir sa vie dans une geôle. Sans compter qu'il deviendrait la risée du village d'avoir été cocufié par un adolescent tout juste sorti de ses langes.

Pour cette fois, Raphaël en fut donc quitte pour la peur, mais par la suite il connut tant d'histoires d'amour scandaleuses qu'il finit par se mettre à dos la moitié de la population masculine de l'île et ne put dormir deux soirs d'affilée dans le même lit sous peine de finir assassiné.

– Tu finiras par engrosser toutes les putains que tu croiseras et tous les bâtards de cette île porteront ton nom !

Ce furent les paroles d'accueil qu'Aristide Sainte-Rose réserva à son fils, ce coureur de jupons qui faisait son désespoir et sa honte, lorsqu'il revint à la maison après son épopée homérique. Il est vrai que Raphaël Sainte-Rose n'était plus un adolescent mais un beau garçon aux cheveux et aux yeux sombres qui attirait les femmes au premier regard, et elles succombaient à sa fougue avec une facilité déconcertante. C'était de plus un flambeur de l'espèce qui ne tenait jamais parole, ce qui avait fini par lui causer bien des ennuis. Outre les ardoises et les orphelins qu'il laissa derrière lui, il se forgea vaillamment une réputation de briseur de ménages, de menteur et de cœur infidèle incapable d'aimer.

Lorsque sonna l'heure du service militaire, et qu'il lui fallut rejoindre la caserne de Fleur d'Épée il n'en cessa pas pour autant ses escapades dans le monde de la nuit. Vêtu de son bel uniforme, le cheveu ras et l'œil de velours, il profitait de chaque occasion que lui offrait le hasard pour faire la cour à une belle rencontrée dans un café ou lors d'une soirée privée au sein de laquelle il parvenait toujours à se glisser sans carte d'invitation. Ainsi put-il parvenir à ses fins en courtisant la fille d'un colonel à qui il avait fait les yeux doux.

Il se mit à écrire chaque soir à sa belle des billets d'amour, des poèmes, des lettres parfumées de musc qu'il lui faisait remettre le lendemain par l'officier du mess. La jeune fille, naïve comme on peut l'être à cet âge, crut Raphaël sincère et s'enticha si bien de lui qu'elle commença à tirer des plans sur la comète.

– Lorsque nous nous marierons, je veux que tu me conduises à l'église sous une pluie d'orchidées.

Ce qui suffit pour effrayer Raphaël, incapable de s'engager. Dès le mois suivant, il trompa sa promise avec une autre. Hélas pour lui, la fille du colonel l'apprit et le raconta à son père. Ce dernier, entrant dans une rage folle, fut à deux doigts de le passer par les armes. Il n'y renonça qu'en pensant au chagrin de sa fille, déjà immense d'avoir été ainsi trahie. Il se contenta de lui donner quinze jours de cachot.

Raphaël, cœur insensible, ne sembla pas en éprouver le moindre remords.

– La vie est courte et il vaut mieux en profiter tant qu'on le peut, avait-il coutume de répéter. Et une nuit d'amour vaut bien deux semaines au trou.

Quand Aristide Sainte-Rose eut vent des déboires de son fils avec la fille du colonel, il devint écarlate.

– À force de te moquer des gens, quelqu'un va finir par te faire la peau !

– Ne t'inquiète pas, lui répondit Raphaël avec un aplomb désarmant, la balle qui me trouera le cœur n'a pas encore été forgée !

23

Casa Vanille

Depuis son enfance, Vanille avait pris chaque matin l'habitude de se baigner nue dans la rivière. Elle y demeurait près d'une demi-heure, au milieu d'une mer de pétales de frangipaniers et de lauriers-roses, se savonnant et lissant sa chevelure noire avec le peigne que lui avait sculpté son père dans un os de baleine. Au début, personne ne songea à mal, pas même les voisins et les ouvriers agricoles qui travaillaient non loin de là et l'entendaient chantonner des airs créoles tout le temps que durait sa toilette dans cet espace naturel et paradisiaque. Mais lorsqu'elle eut atteint l'âge de quinze ans et que la jeune fille devint une femme aux courbes et à la sensualité troublantes, sans conteste la plus belle de Carambole, ils furent nombreux à se bousculer pour assister au spectacle. Certains se cachèrent dans les broussailles, d'autres grimpèrent aux arbres pour avoir une vue plongeante sur la scène, un téméraire gravit même à mains nues les pierres de la cascade et glissa, se blessa à la tête en tombant sur les rochers, ce qui ne l'empêcha nullement de recommencer. C'était le tableau d'une nymphe dans un décor de paradis, à la différence près que la toile était vivante et le modèle parfait.

Vanille avait des yeux de braise, un sourire de chatte et un corps de déesse. Cela faisait beaucoup pour une seule femme, et les jeunes gens du village revenaient du lieu-dit Les Enfers avec des sueurs froides et des maux de ventre.

La belle ne se doutait de rien, ou peut-être s'en moquait-elle éperdument. Mais lorsque son père s'en mêla, les choses se compliquèrent.

Un matin, Aristide surprit un homme juché sur un arbre et occupé à épier sa fille. Hors de lui, il saisit une pierre et fit mouche. L'homme descendit de son perchoir aussi prestement qu'un singe et s'en fut en courant, le visage en sang.

– Qui était-ce ? demanda-t-il à la jeune fille.

Mais Vanille, l'œil candide, rétorqua avec malice :

– De qui veux-tu parler, papa ? À part toi et moi, il n'y a jamais eu personne ici.

En vérité, elle connaissait très bien ce garçon, elle en était tombée amoureuse dès le premier jour de leur rencontre. Il se nommait Éric Genève, c'était un bellâtre aux cheveux noirs gominés et à la peau sombre, au regard et au sourire ravageurs. Il était employé dans une ferme agricole dont il gérait plusieurs hectares à lui seul. À force de travail au grand air, il s'était sculpté un corps d'athlète, de beaux muscles saillants dont il soulignait le relief en les enduisant de graisse à traire.

Le samedi soir, après le travail, il se rendait au café où il jouait aux cartes avec ses amis en fumant des cigarettes amères, buvant du rhum et guignant les filles. C'était là qu'il avait rencontré Vanille. Le lendemain, il l'avait revue et une semaine plus tard, lors d'un bal il l'avait invitée à danser.

Dès l'instant où il l'avait prise dans ses bras, Vanille en avait ressenti des frissons et s'était éprise de cet homme sentant la sueur et l'effort. Ils s'étaient revus le lendemain sur la plage, et s'étaient embrassés pour la première fois. Par la suite, ils s'étaient retrouvés en cachette chaque soir sur la place du village.

Le lendemain de l'épisode du bain, Vanille comprit qu'elle ne pourrait cacher bien longtemps la vérité et, faisant fi de la prudence, elle amena Éric Genève à la maison de Carambole et le présenta à ses parents. Elora le trouva charmant et lui réserva bien des égards, mais Aristide le reçut froidement.

Lorsque les deux tourtereaux allèrent se promener dans le jardin, à l'abri des regards, il confia à sa femme d'un ton glacial :

– Avec cet homme, elle sera malheureuse toute sa vie, elle va souffrir mille enfers.

– Qu'est-ce que tu en sais ? Il est beau comme un dieu et semble honnête et travailleur.

– Justement. Aussi belle, unique et précieuse soit-elle, Vanille ne lui suffira pas. Il lui faudra d'autres conquêtes. N'oublie pas que les hommes sont des chasseurs.

Mais leur fille, aveuglée par le feu de la passion amoureuse, ne l'entendit pas de cette oreille.

— Et s'il me plaît, à moi, de finir en enfer ? rétorqua-t-elle à son père.

Vanille était encore trop jeune pour décider de son avenir, mais elle savait que dans trois ans elle serait libre de choisir sa vie et elle était résolue à attendre. L'année suivante, elle commença à songer aux préparatifs du mariage.

— Encore deux ans et je deviendrai une femme, se disait-elle avec fermeté.

Mais le destin en décida autrement. Un matin, on apprit que Éric Genève s'était tué en labourant un champ. Le tracteur qu'il conduisait s'était renversé dans une côte et l'avait écrasé, le tuant sur le coup. Lorsque Aristide annonça la tragédie à sa fille, elle le prit si mal qu'il crut qu'elle allait perdre connaissance. Elle roua son père de coups de poing et lui griffa le visage en hurlant de douleur. Aristide eut beau tenter de la calmer, rien n'y fit.

Vanille ne se remit jamais de la mort d'Éric Genève. Elle devint absente d'elle-même, comme si on l'avait amputée d'une partie de son âme. Elle se changea en fantôme, qu'on promena de bal en bal et de déjeuner en déjeuner, sans qu'elle y portât le moindre intérêt, tant elle semblait ne plus se soucier des choses de ce monde. Cet état d'absence à elle-même dura toute une année, à la suite de quoi on comprit qu'elle ne serait jamais plus comme avant, quelque chose en elle était mort à jamais.

Elle finit par se fiancer au premier homme qui eut l'audace de lui demander sa main, plus par défi que par passion. Cette décision surprit tout le monde, on la pensait définitivement perdue pour le mariage et l'amour, mais l'homme désigné eut l'heur de plaire autant à ses parents qu'à ses frères et sœurs. C'était un homme politique appelé à de hautes fonctions au sein du gouvernement de l'île, il s'appelait Antoine Malinguer. Il n'était pas vraiment beau, ni même très jeune, mais c'était un gentleman distingué, avec des manières élégantes, une petite moustache bien taillée, des cheveux grisonnants coupés court, un canotier et un complet-veston blanc. Elle l'avait rencontré aux Saintes. Il l'avait trouvée charmante et tout à fait à son goût, elle l'avait pensé honnête et travailleur. Ce n'était pas Éric Genève, loin s'en faut, mais pas non plus son contraire. Lui aussi, d'une manière ou d'une autre, était un homme, un vrai, ce qui la rassurait. Poussée par l'ennui et la peur de finir dans le chagrin de la solitude, elle se jeta dans ses bras et l'épousa.

– Cependant, eut-elle l'honnêteté de lui confier la veille du mariage, que les choses soient claires entre nous : je ne vous épouse pas pour des raisons d'amour, car je n'en ai plus à donner, mais parce que je désire avoir une belle vie.

Antoine Malinguer faillit en avaler son extrait de naissance, mais après réflexion, il comprit qu'il n'aurait jamais une autre chance de se marier à une si belle femme, aussi fit-il contre mauvaise fortune bon cœur et accepta-t-il le marché.

Dès le lendemain des noces, Vanille quitta Carambole et déménagea à Pointe-à-Pitre où elle résida dans une élégante demeure coloniale, un endroit suave et calme où la seule nuisance sonore était le son d'un piano à queue dont son mari jouait chaque soir. Elle organisa des dîners, s'intégra à la bonne société en jouant son rôle à merveille, n'obtenant que des compliments de la part d'un monde qu'elle n'avait jamais fréquenté auparavant. Elle donna naissance à des jumeaux. Commença alors pour elle ce que certains nommaient « la vie rêvée des anges ». Mais pour ceux qui la connaissaient mieux, cette union n'était qu'un faux-semblant de l'amour qu'elle et Éric Genève avaient partagé.

Aussi Vanille, tel un volcan endormi, sombra-t-elle peu à peu dans la routine et l'ennui, comme si la lave de la passion qu'elle avait connue au temps de sa jeunesse s'était figée à jamais dans les eaux froides du quotidien.

24

La Trace des Alizés

Le deuxième fils de la famille, Daniel Sainte-Rose, était tout le contraire de son frère aîné. Studieux, volontaire, fidèle, il semblait promis au plus brillant avenir. Cela se devina dès les premières années d'enfance. Alors que Raphaël jouait à détruire les nids de fourmis rouges à grands coups de bâton en compagnie des chenapans du quartier, ou à chaparder les fruits du verger voisin, ou encore à noyer les chats en les jetant dans la rivière, Daniel passait de longues heures assis en tailleur à l'ombre des palétuviers, à étudier des ouvrages de sciences, de mathématiques, de géographie, d'histoire et de philosophie. Ces ouvrages, qu'il dévorait avec une curiosité et un intérêt croissants, comme s'il avait voulu en absorber le savoir en un minimum de temps, il les empruntait à la bibliothèque de son instituteur, ou les recevait en fin d'année scolaire en récompense de l'excellence de son travail. Pendant toute sa scolarité, il fut le meilleur élève et le plus appliqué. Il avait fixé au mur de sa chambre une grande mappemonde devant laquelle il rêvait des heures entières en apprenant par cœur le nom des pays, des capitales, des fleuves et des déserts.

Un jour, il participa à un concours organisé par le gouvernement, répondit à un questionnaire requérant des connaissances dans des domaines aussi divers que l'art, la politique, l'histoire et la géographie, et fut reçu premier. On lui offrit une encyclopédie en vingt-quatre volumes qu'il se mit à dévorer à toute heure de la journée et de la nuit.

— Cet enfant ira loin, s'il ne se fait pas éclater le crâne d'ici là, avait coutume de dire Elora.

Comme toutes les mères, elle craignait pour sa santé et se faisait un sang d'encre à le voir étudier sans relâche.

Aristide, lui, répondait, en hochant la tête :

— Va savoir. Daniel perd peut-être son temps avec toutes ses lectures, il s'enferme dans un monde de rêves et de chimères, alors que Raphaël saura bien mieux se débrouiller dans la vie.

En attendant de vérifier qui avait raison, le cadet continua sur sa lancée et arriva à l'âge de quinze ans le crâne intact et les idées bien claires, avec en main les plus belles cartes que la vie pouvait lui apporter. Un corps d'athlète, bien qu'il ne fît aucun effort pour le travailler, un beau visage d'ange et une tête bien pleine. L'instituteur confia à ses parents tout le bien qu'il pensait de lui et les encouragea à lui faire suivre des études. Elora, dotée de bon sens, et Aristide, loin d'être un âne, comprirent tous deux qu'ils tenaient là la chance de rendre illustre le patronyme des Sainte-Rose et optèrent pour l'école d'ingénieurs de Pointe-à-Pitre.

C'est donc là que l'adolescent fit ses armes d'étudiant et devint, du jour au lendemain, l'un des plus brillants élèves de Guadeloupe. Il y demeura deux ans à étudier des matières diverses telles que les sciences physiques et la chimie, pour lesquelles il reçut un prix lorsque, s'intéressant aux procédés d'extraction du sel marin, il comprit qu'il fallait utiliser des bacs de décantation d'une hauteur de vingt centimètres pour l'eau de mer et non d'un mètre comme auparavant, afin que se forme à la surface ce qu'on nomme la fleur de sel. Il étudia également la botanique, la philosophie et les mathématiques, domaines où il excellait naturellement, sans fournir le moindre effort.

Mais ce qui le passionnait plus que tout, c'était l'étude du vent et de la météorologie. En cela, il ressemblait comme deux gouttes d'eau à son père, inventeur-né, à l'époque où il avait fabriqué un cerf-volant en observant le vol d'un lucane. Daniel, plus sérieux, s'appuya sur une base scientifique solide. Il se consacra aux instruments de mesure du vent comme les baromètres et les anémomètres, se passionna pour la fabrication de ventilateurs, d'éventails mécaniques, de paravents ou de sarbacanes, et fut à l'origine de la réalisation de la première éolienne. Il ressortit de l'école avec un diplôme d'ingénieur et devint le premier spécialiste des vents de toutes les Caraïbes.

– Ça ne m'étonne pas, fit remarquer son frère aîné, jaloux comme un pou de la réussite de son cadet. Daniel est une vraie girouette !

Daniel laissa dire, certain qu'il tenait là sa voie, inscrite dans le chemin azuréen d'une rose des vents. Grâce à l'entregent de Claude Marin qui, depuis qu'il avait fait fortune avec la bananeraie, avait développé de multiples activités dans le commerce international, il fut embauché dans une société météorologique basée à Caracas, et connut dès lors une vie de voyages dans le monde entier sans jamais avoir à régler une note d'hôtel ou de restaurant ni à se soucier du lendemain. Muni de tout un attirail de plus en plus sophistiqué au fil des années et des découvertes de la technique, il traversa la mer des Caraïbes de long en large et de haut en bas, à la poursuite des ouragans, des cyclones, des typhons, des bourrasques, des brises, des bises, des souffles et des alizés.

Parfois, lorsqu'il s'en retournait à Carambole, entre deux courants d'air, il confiait à sa mère :

– Pardonne-moi de ne pouvoir rester plus longtemps à aider papa à la rhumerie, mais le vent m'appelle.

Elora ne répondait rien, elle le regardait partir sans broncher comme il était venu. Elle savait qu'un jour il ne donnerait plus de nouvelles et disparaîtrait à jamais, que rien ne retiendrait jamais sur terre un chasseur de vent, pas même l'or brun du Rhum Caraïbes.

25

Les Saintes

Un mois après le départ de Daniel, Raphaël Sainte-Rose parla pour la première fois de quitter la maison de Carambole. Il ne supportait plus la présence de Lisa à ses côtés. Il l'appelait à juste titre « la sainte » depuis qu'un soir de pluie, alors que toute l'île semblait embaumée du parfum des pétales de rose, elle avait installé un christ en albâtre dans le salon et s'était mise à le vénérer. Du jour au lendemain, elle qui n'avait jamais mis un pied dans une église, sinon contrainte et forcée pour une messe de Noël ou un baptême, fréquenta la messe avec tant d'assiduité qu'on la crut frappée d'illumination. Elle n'était d'ailleurs pas la seule. À la même époque, toutes les femmes du village en âge de se marier se retrouvèrent dans cette situation.

La raison de cette soudaine ferveur mystique et exclusivement féminine était la venue à Carambole d'un nouveau curé. Frais émoulu du séminaire, il n'avait décidément rien en commun avec le père Joseph Olivier, pour qui avait sonné l'heure de la retraite. Il se nommait père Matteo Pagano, accusait à peine ses vingt-cinq ans et était beau comme un dieu. Il avait des cheveux noirs, des mains de pianiste et des yeux bleu océan. Et comme si cela ne suffisait pas à faire tomber ses paroissiennes en pamoison, il possédait une voix d'opéra, chaude, grave et sensuelle, et les psaumes, tout à coup, ou son sermon, lorsqu'il montait en chaire, ne pouvaient qu'ouvrir à ses ouailles le chemin de la foi.

– Mon Dieu, je crois que je vais tomber malade ! C'est comme si j'avais une boule dans l'estomac, s'écria Lisa lorsqu'elle revint à la maison après l'office du dimanche.

– Que t'arrive-t-il ? demanda sa mère.

Lisa s'effondra sur son lit en pleurs et, l'esprit encore perdu dans les brumes de l'amour naissant, déclara avec emphase :

– Je viens de voir le Christ en personne !

Elle fut l'une des premières à succomber au charme du père Matteo Pagano, vénérant tous les saints du calendrier, communiant et se confessant plusieurs fois par semaine de ses péchés, fussent-ils les plus véniels. Elle fit même davantage et proposa de rendre service à l'église en nettoyant gratis le presbytère et en apportant chaque soir au curé un panier-repas qu'elle avait préparé elle-même dans la grande cuisine de la maison de Carambole.

– Lisa n'a pas Dieu en tête mais le feu au cul ! se moqua Raphaël lorsqu'il comprit l'origine de ce manège.

Il croisa d'ailleurs Matteo Pagano dans une rue, un dimanche après-midi, son missel à la main, et lui trouva un charme diabolique.

– Ce n'est pas Dieu mais le diable !

C'était effectivement un homme étrange que ce nouveau curé, et on racontait bien des choses à son sujet. D'après certaines rumeurs, il avait été un homme tenté par le démon de la femme au temps de son adolescence dans les faubourgs de Pointe-à-Pitre, et avait failli entrer dans le mariage à l'âge de dix-huit ans, avant de découvrir que sa promise était déjà mariée à un autre qui croupissait en prison. Brisé par cette nouvelle alors qu'il s'apprêtait à passer la bague au doigt de la belle, il se jura de ne plus tomber dans le piège de l'amour et trouva refuge dans la foi et la prêtrise. Ce jour maudit, bien des prétendantes pleurèrent à chaudes larmes la perte de cet homme aux manières si affables et aux allures de gentleman.

Lisa pensait de même, à la différence qu'elle n'avait pas abdiqué. Pour elle, l'amour n'avait pas de frontières, et elle se moquait que Matteo fût prêtre.

– On a déjà vu des curés défroqués pour raison de cœur, lança-t-elle à ses parents qui tentaient de la raisonner. Il pourrait être homosexuel ou marié à la reine d'Angleterre que je tenterais encore ma chance !

Elle n'eut de cesse de lui faire la cour et sa vie devint un bénévolat au service de Dieu. Le lundi, elle faisait le ménage dans sa chambre, le mardi nettoyait le sol dallé de la sacristie, le mercredi époussetait les statues des saints et la Croix du Christ, le jeudi lavait son linge qu'elle lui rendait le vendredi repassé et amidonné, le samedi lui apportait un repas froid et le dimanche officiait à la messe.

— À ce train-là, tu vas devenir folle ou nonne, mais tu resteras vieille fille, s'écria Elora, affolée par ce dévouement sans borne.

— Bonne du curé, cela vaut mieux que bonne à rien, rétorqua Lisa avec aplomb.

Parfois, le soir venu, alors qu'elle était étendue sur son lit dans la fraîcheur de sa chambre à coucher, Lisa avait de mauvaises pensées. Et bientôt des rêves... elle se baignait nue en compagnie de Matteo Pagano dans la rivière et partageait avec lui des moments d'un érotisme extatique. Mais comme elle était bonne chrétienne et respectueuse des usages de la foi, elle réprima ses ardeurs en se flagellant avec une branche de laurier qui ne la quittait jamais et dont elle usait tout à la fois pour chasser les mouches et les mauvais esprits.

Hélas, elle eut beau user de tous les stratagèmes possibles, l'objet de son émoi resta intègre et ne lui accorda jamais plus d'intérêt qu'à une autre de ses ouailles. Loin d'imaginer un tel désir, le sage curé ne tomba jamais dans les chemins de la perversion et se consacra tout entier à son amour du Christ. Lisa en conçut une profonde amertume et, dès lors qu'elle comprit qu'elle n'arriverait à rien, rejeta tout en bloc, l'amour comme les hommes, et s'enferma dans la prison du désespoir et de la solitude.

Elle prit le voile au couvent de Saint-Martin de Guadalupe, au lendemain de son dix-neuvième anniversaire, et n'en ressortit que pour revêtir ses habits de deuil, trente-sept ans plus tard. Pendant ses longues années de réclusion, elle n'eut d'autre perversion que l'adoration du Christ, en qui elle devinait les traits de Matteo Pagano, cet homme dont elle resta toute sa vie amoureuse et qu'elle avait connu trop jeune pour en être délivrée un jour.

Martine Sainte-Rose, la dernière née de la tribu, fut la seule de la famille à ne rien connaître de l'amour, si ce n'est par la contemplation de la nature, car elle en était restée au stade pur de l'enfance. Elle fut également la seule à ne jamais exprimer le désir de partir de la maison pour aller voir ailleurs si la Terre était ronde.

Elora, qui lui avait toujours porté une affection particulière, car elle lui faisait songer à un petit animal sauvage perdu dans le monde impitoyable des hommes, lui en sut gré toute sa vie.

Martine passait ses journées dans sa chambre, à jouer avec ses poupées de chiffon, ou dans le jardin à contempler le vol des insectes et la danse des nuages dans le ciel, avec une telle béatitude qu'elle faisait penser à une illuminée. Elle dormait autant qu'un loir, mangeait avec ses doigts les portions de riz à la banane que lui faisait cuire Elora dans une grande marmite en permanence sur le fourneau, jouait avec les chats du quartier et babillait dans son langage d'enfant des choses incompréhensibles pour le commun des mortels. Lorsque la pluie tombait, elle se laissait tremper plutôt que de se mettre à l'abri, ou se faisait cuire au soleil de midi jusqu'à attraper une insolation. Mais en aucun cas elle n'aurait songé à se plaindre de son sort, car Martine était heureuse.

Ce qui fit dire un jour à Elora, sachant combien l'âme de Martine était pure :

– La famille Sainte-Rose peut enfin se féliciter d'avoir engendré une sainte. Elle nous lavera peut-être de nos péchés.

26

La Désirade

Raphaël Sainte-Rose, quant à lui, ne devint jamais un saint, mais il fit un jour la rencontre de la femme qui allait changer sa vie et le faire basculer dans le monde des sentiments. Elle s'appelait Isabelle Mangue et, dans l'île, on la surnommait « La Désirade ». Elle était l'épouse du notaire de Bouillante, l'un des hommes les plus respectés de la région. Ce notable, laid et velu comme un singe, était si fortuné qu'il en devenait beau lorsque son visage se reflétait dans le miroir déformant de la richesse. L'homme n'était pas né de la dernière pluie, il savait que seules sa fortune et sa position sociale lui avaient permis d'épouser l'une des plus belles filles de l'île. À charge pour lui de faire preuve d'indulgence et de fermer les yeux sur quelques incartades qu'elle ne se gênait pas de commettre au vu et au su de tous. Mais cela ne semblait pas l'atteindre outre mesure. Du moins en apparence.

– Personne ne peut retenir dans son lit un fleuve en furie, pas même une digue de diamants ! expliquait-il pour faire taire les rumeurs que les commères faisaient gronder comme le vent de la discorde.

Car il l'aimait, son Isabelle, même si en retour il ne caressait aucune certitude.

Elle se contentait de vivre à ses côtés, de dépenser son argent et, pour se faire pardonner, de lui faire l'amour en lui offrant ce corps de rêve que lui avaient façonné les dieux. En revanche, lorsqu'elle prenait la mouche, ce qui était assez dans son caractère, elle libérait sa rage sur les assiettes en porcelaine et les verres en cristal, puis prenait la poudre d'escampette et quittait la maison comme une furie en claquant la porte. Si le notaire savait alors qu'il ne la reverrait de toute une semaine, il ignorait où elle allait et avec qui, dans quel lit elle se trouvait, ce qui le mettait dans une douleur à le rendre fou.

Quand Isabelle revenait au sein du giron conjugal, elle ne donnait aucune explication sur son escapade.

Elle voulait vivre sa vie de liberté, sans enfant, car une grossesse aurait pu flétrir ses chairs et entamer son capital-beauté qu'elle considérait comme le plus noble de ses atouts. Son mari en faisait des jaunisses à répétition, lui qui rêvait d'une famille nombreuse courant dans les grandes pièces de son auguste demeure. Il était toutefois assez clairvoyant pour admettre que la présence de cette femme auprès de lui était le fruit d'un pacte avec le diable, et qu'il aurait été vain d'en espérer davantage. Son Isabelle était fine et racée, avec de longs cheveux bouclés dont la couleur oscillait entre le roux et le châtain cuivré, de grands yeux noisette et une bouche pulpeuse qui ne demandait qu'à croquer tous les fruits de la vie. Il savait également que rien ne peut détourner une âme de son chemin, même si elle le mène tout droit en enfer.

– Cette femme est belle à se damner ! s'écria Raphaël lorsqu'il l'aperçut pour la première fois au marché aux poissons de l'Anse des requins.

– C'est une putain aux airs de sainte, rectifia Elora qui la connaissait. Méfie-toi d'elle comme de la peste. Elle a déjà détruit bien des familles avec son regard de diablesse.

Elle ajouta en haussant les épaules :

– Son mari porte tellement de cornes qu'il pourrait monter un commerce de bois sans jamais épuiser son stock.

Le genre de phrase qu'il ne fallait pas prononcer devant Raphaël. Si Isabelle Mangue se livrait au délicieux tangage de l'amour, pourquoi ne pas aborder son navire de l'adultère et goûter avec elle au fruit défendu ? songea-t-il.

L'inéluctable survint le jour où il la croisa de nouveau dans une rue de Bouillante. Intrépide, il lui proposa de boire un verre. La belle accepta et ils passèrent un si agréable moment à deviser à la terrasse d'un café qu'ils prirent l'habitude de s'y retrouver tous les vendredis. Trois semaines après leur première rencontre, la belle lui donna rendez-vous dans le secret de sa chambre, où il se rendit la peur au ventre et des fourmis dans tout le corps. Mais bientôt la peur laissa place au vertige du plaisir. Lorsqu'elle se dévêtit devant lui, avant de le faire basculer sur le lit et de le chevaucher, il comprit enfin ce que valait la vie.

À la suite de quoi, le temps parut figer les jours. Ils ne purent que penser à se retrouver pour goûter aux choses de l'amour dans le lit du notaire. Ce qu'ils firent chaque fin de semaine et parfois davantage. Pour la première fois, ces deux cœurs volages tombaient amoureux et ne pouvaient plus se passer l'un de l'autre.

Ce manège aurait pu durer indéfiniment sans que personne en prenne ombrage, si le mari n'avait eu la mauvaise idée de surgir à l'improviste, en plein après-midi, pour découvrir dans son lit les deux amants en sueur et se hurlant des mots d'une telle bestialité qu'il en demeura pantois.

Le sang du notaire ne fit qu'un tour. Dégainant le revolver qui ne quittait jamais sa ceinture depuis qu'il avait été attaqué par deux vagabonds, il les mit en joue et déclara avec un certain cynisme :

– Cocu, passe encore, mais sous mon toit, ce n'est plus du cocufiage, c'est une insulte personnelle !

Isabelle cria comme une damnée, elle savait son mari capable de les tuer tous les deux et de retourner l'arme contre lui au nom de l'honneur. C'était oublier Raphaël. Vif comme l'éclair, il jaillit du lit et se jeta sur l'homme.

Sous la violence de l'impact, le coup de feu partit et la balle atteignit une psyché en métal sur laquelle elle ricocha avant de s'en retourner d'où elle était venue. Le corps du notaire chut comme une pierre et de son ventre s'échappa le sang de la tragédie.

– J'ai tué un homme ! s'écria Raphaël, affolé.

– Tu ne l'as pas tué, c'était un accident, intervint Isabelle qui, tétanisée, n'avait même pas pensé à couvrir sa nudité.

– Accident ou meurtre, c'est moi qu'on va accuser. Je sais ce qu'il me reste à faire.

Et, après avoir embrassé une dernière fois sa belle, il s'enfuit de Bouillante à la faveur de la nuit. Il avait pour dessein de rejoindre Pointe-à-Pitre au plus tôt et d'appareiller vers d'autres horizons, là où l'opprobre populaire et la police gouvernementale ne l'attendraient pas.

Ce qu'il ne sut jamais, c'est qu'Isabelle, folle de douleur et de chagrin d'avoir perdu à la fois l'homme qui faisait vibrer son cœur et celui qui la faisait vivre, s'était lancée à sa poursuite sur la route de la traversée. Mais Raphaël avait tant d'avance qu'Isabelle ne le rejoignit jamais. Parfois, elle crut l'apercevoir au détour d'un chemin, ombre fugitive, ou près du rivage lorsque, dans la douceur du soir, lui parvenaient les fragrances épicées de sa peau, que le vent jouait à porter jusqu'à ses narines avides. Mais jamais elle ne le retrouva.

Raphaël, insensible à la fatigue et à la douleur, marcha ainsi de longues heures sans s'arrêter, si ce n'est

pour se reposer quelques minutes à l'ombre d'un palé-
tuvier ou voler un fruit qu'il croquait en hâte.

Il arriva ainsi à Pointe-à-Pitre en moins de quatre
jours et embarqua dès le lendemain pour l'Amérique du
Sud. Quant à Isabelle Mangue, perdue dans les jungles
de l'amour et du chagrin, nul ne la revit jamais.

Des mois plus tard, on découvrit un squelette de
femme quelque part dans les montagnes, à côté d'une
pierre où était gravé le prénom d'un ange.

27

Pointe des Colibris

Dès qu'on apprit la mort du notaire de Bouillante et la fuite des deux amants, un vent de haine se leva sur l'île.

Toute la jalousie engendrée par la réussite du père et la fameuse rhumerie qui faisait d'eux une famille de nantis dans un village de pauvres, se changea alors en torrent de fiel. La rumeur enfla comme un fleuve hors de son lit, on prétendit même qu'avant de s'enfuir, le fils avait volé la fortune du notaire. Et l'on crut longtemps que là se trouvait le mobile du crime.

– Laisse dire les gens, conseilla Aristide à sa femme. Avec le temps, on finira par oublier cette histoire, Raphaël reviendra à Carambole et tout recommencera comme avant.

Elora n'était pas aussi optimiste que son mari, mais elle tenta d'oublier momentanément ce fils perfide pour se consacrer à ses autres enfants.

– Celui-là, comme je l'ai vu en rêve depuis toujours, va nous donner du fil à retordre. Il n'hésiterait pas une seconde à nous ruiner s'il le pouvait. Je crois que, depuis qu'il a senti l'odeur de l'argent, il est devenu fou !

Un matin, un officier de police se présenta chez les Sainte-Rose et demanda à fouiller la maison afin de s'assurer que Raphaël ne s'y trouvait pas. Aristide le laissa faire, avec un flegme qui le surprit lui-même, le regardant retourner la maison sens dessus dessous. Comme l'homme ne trouvait rien, le patriarche ajouta avec malice :

– Vous ne le trouverez ni ici ni ailleurs car mon aîné est aussi insaisissable qu'un papillon de nuit.

Raphaël Sainte-Rose menait une vie d'errance et de folie qui le conduisait dans les endroits les plus dangereux de la mer des Caraïbes. Pendant les longs mois que devait durer son exil, il prit part à des affaires plus ou moins louches en des lieux aussi divers que Saint-Vincent et les Grenadines, Trinidad et Tobago, Cuba et les îles Caïmans. Ainsi, après avoir commencé à gagner sa vie en jouant aux cartes dans un tripot de Kingstown, prit-il des parts dans un restaurant de San Fernando. Mais, après avoir coulé le fonds, il partit avec la caisse et la serveuse. Une escapade sur l'île de Margarita faillit lui coûter la vie lorsqu'il eut la fâcheuse idée de s'associer avec les membres d'un cartel de drogue dans une boîte de nuit. Échappant de peu à un règlement de comptes, il parvint à quitter l'île et à se réfugier au commissariat. Là, contre quelques billets il parvint à obtenir une protection pour quitter le pays et un visa pour les îles Caïmans. Sans le mandat que son père lui adressait chaque mois par courrier, une rente qui lui permettait tout juste de vivre et non d'éponger ses dettes, nul doute qu'il aurait fini miséreux.

Au fil de son odyssée caribéenne, la plus formidable escroquerie à mettre à l'actif de Raphaël Sainte-Rose fut celle d'une pyramide de Ponzi qui fit grand bruit dans l'île de la Barbade. Elle toucha tous les notables, commerçants, médecins, notaires sans distinction et fut à l'origine du plus grand scandale financier qui secoua jamais les Caraïbes.

À l'origine, elle fut montée par deux des plus grands escrocs qui écumèrent la région : les frères Claude et Jacques de Prénovel. Ces deux-là, portant beau, toujours tirés à quatre épingles, venaient de métropole et avaient connu des trajectoires bien singulières avant d'échouer sur l'île. En Argentine, ils avaient monté une affaire d'autoroute fictive qui avait laissé le pays exsangue, au Venezuela une usine de traitement des déchets qui n'avait jamais eu d'autre fonction que de devenir une décharge à ciel ouvert, et en Amazonie, un projet de complexe culturel en pleine jungle dont les autochtones n'avaient que faire. Ils avaient récupéré leurs billes et s'étaient enfui dans la mer des Caraïbes.

Comme ils ne pouvaient s'empêcher de semer la zizanie financière partout où ils se trouvaient, à peine débarqués dans l'île de la Barbade ils avaient imaginé une pyramide à la tête de laquelle ils s'étaient installés, incitant les gens à investir dans leur affaire en leur faisant miroiter des gains faramineux, jusqu'à doubler la mise de départ sans le moindre effort, voire la tripler ou la quadrupler si on laissait l'argent sur un compte qui transitait par la Suisse. Raphaël, charmeur et beau garçon, fut désigné par les deux frères pour trouver de nouveaux pigeons à plumer en échange d'une commission sur chaque nouvelle souscription. Ainsi le fils aîné des Sainte-Rose établit-il son quartier général dans un bar de la Barbade où il appâtait ses proies avec une liasse de billets neufs.

Comme les premiers investisseurs furent remboursés rubis sur l'ongle, et que le bouche à oreille faisait merveille, les gens affluèrent au siège de la société situé en plein centre de la capitale, prêts à investir toutes leurs économies dans cette affaire mirifique.

La pyramide tint ses promesses lors des premiers mois de son exercice. Mais lorsque les derniers épargnants vinrent réclamer leur mise de départ et qu'en retour ils trouvèrent porte close, tout se mit à changer. On comprit vite qu'on avait été roulé et la colère se mit à gronder.

Les frères de Prénovel, bientôt poursuivis par toutes les polices du monde, furent arrêtés dans l'île de Saint-Martin et jugés par le tribunal de Pointe-à-Pitre. Ils récoltèrent chacun cinq ans de prison ferme, peine qu'ils purgèrent au pénitencier de la pointe des Colibris.

28

Plage des Raisins Clairs

Par bonheur pour Raphaël, son innocence fut prouvée dans la mort du notaire de Bouillante et la pyramide de Ponzi. Dans la première affaire, l'enquête de police conclut à un regrettable accident suite à une affaire d'honneur et consentit à le laver de tout soupçon. Dans la seconde, en revanche, le juge fut moins clément et, concluant à l'escroquerie de haut vol, le condamna à la prison avec sursis.

– C'est un premier avertissement, le tança son père à l'issue du procès. Espérons que ce sera le dernier et que tu vas enfin t'assagir. Si jamais tu devais finir en prison, ne compte pas sur moi pour t'apporter des oranges.

Dès lors, Raphaël put revenir s'installer à la maison de Carambole en toute liberté, ce qu'il ne se gêna pas de faire dès que l'arrêté fut rendu officiel par les autorités gouvernementales. Il revint comme s'il était parti la veille, toujours aussi fou et plein de nouveaux projets. Cette fois, il parlait d'ouvrir un établissement de paris et un casino.

– En fait, ce que tu veux, c'est devenir un gangster, fit remarquer Elora avec une moue de dépit.

Aristide, lui, avait un jugement plus nuancé.

– Tu prends beaucoup de risques, mais c'est ta vie et c'est à toi d'en décider. Fais attention cependant à ne pas la gâcher.

Aristide et Elora consentirent à accorder à leur fils aîné le gîte et le couvert mais refusèrent de le voir traîner au lit jusqu'à midi. Il eut droit aux remontrances à propos de son mode de vie et de ses fréquentations, mais chacune de leurs remarques tombait dans l'oreille d'un sourd. Chaque soir il sortait et rentrait à quatre heures du matin, ivre mort, réveillant la maisonnée par ses chants et ses rires. Au déjeuner, on le retrouvait à table en train d'imaginer des projets qui, pour la plupart, ne tenaient pas debout. Sa dernière lubie était de créer un bar sur la plage des Raisins Clairs, un endroit qu'il voulait appeler « Les pieds dans l'eau ».

Raphaël était certain de réussir, mais Aristide, sachant que les autorités communales n'accepteraient jamais un tel projet propre à dénaturer le paysage, tenta de le faire revenir sur terre.

– À moins de graisser les pattes des fonctionnaires et des élus, tu ne parviendras à rien.

Comme on pouvait le deviner à l'étincelle de folie qui brûlait dans les yeux de Raphaël, la fortune annoncée se changea en torrent de dettes accumulées au hasard de ses pérégrinations, laissant planer, sur le chemin de la perdition qu'il avait emprunté, l'ombre de la banqueroute.

Raphaël n'obtint jamais de la part des autorités le droit d'ouvrir un bar sur la plage des Raisins Clairs. Même en essayant de soudoyer les membres féminins du conseil municipal en leur offrant de petits cadeaux comme des broches pour les cheveux ou des parfums, il ne parvint à rien. Le maire se montra intraitable et d'une totale intégrité, et le conseil refusa son projet à l'unanimité.

– Ce sont des idiots, et je vais leur montrer que je peux réussir sans eux ! tempêta-t-il en claquant la porte de la mairie.

L'affaire qu'il monta ensuite semblait saine au départ : il s'agissait d'organiser des paris sur les concours de bœufs tirants qui avaient lieu dans toute l'île, et même au-delà, et de se réserver une commission de 20 % sur chaque transaction. Au départ attraction mariegalantaise, le concours de bœufs tirants, très renommé dans l'île de la Guadeloupe, consistait à conduire un attelage de bœufs lourdement chargé sur un parcours en côte et de parier sur le vainqueur.

Au début tout se passa bien. Le fils aîné des Sainte-Rose installa une petite enseigne commerciale dans une rue passante de Bouillante, non loin de la place du marché et du magasin de Jean-Yves Roudil, et attendit le client derrière un petit comptoir en acajou en vantant les mérites de son commerce. C'était le premier établissement de jeu ouvert dans la ville, et les premiers joueurs ne tardèrent pas à miser leurs maigres économies sur tel ou tel bœuf. Les premières semaines d'exercice furent encourageantes. Mais tout se compliqua lorsqu'un concurrent ouvrit une boutique semblable juste en face de la sienne, proposant des prix plus bas, puis vint un deuxième, bientôt imité par un troisième. S'ensuivit alors une guerre commerciale qui devait le conduire à la ruine en quelques semaines. Trois mois jour pour jour après avoir ouvert, Raphaël mettait la clé sous la porte.

– C'est toujours comme ça, maugréa-t-il, lorsqu'on a une bonne idée, quelqu'un vous imite aussitôt.

Acculé de toutes parts, il choisit de confier son destin au bon vouloir du hasard.

– Je sais ce qu'il me reste à faire, dit-il en comptant les quelques billets qu'il avait encore en poche.

Le jour même, il se rendit au champ de courses de la ville et misa tout ce qui lui restait sur un bœuf en qui il portait ses derniers espoirs. En attendant le résultat qui devait le conduire à la ruine totale ou lui accorder un dernier sursis, il grilla cigarette sur cigarette, faisant les cent pas comme un damné. Lorsque la course fut terminée, le bœuf sur lequel il avait misé ayant fini second, il sut qu'il ne possédait plus rien. Alors, sans colère et sans chagrin, comme s'il savait depuis le début que tout finirait ainsi, il s'installa au bar et commanda un punch avec les dernières pièces qu'il avait en poche, tournant le dos au champ de courses et au reste du monde. Puis il retourna à la maison la tête basse.

Aristide l'attendait de pied ferme.

– Ta mère et moi pensons que tu as assez fait de bêtises comme ça, le sermonna-t-il. Et qu'il serait temps que tu te mettes sérieusement au travail. À la rhumerie, il y a du labeur pour tout le monde.

Mais Raphaël ne l'entendait pas de cette oreille et, excédé par le fait que son père veuille décider de sa vie, il rétorqua :

– Ma fortune, je la ferai tout seul, sans l'aide de personne, et surtout pas avec ta rhumerie ! À partir d'aujourd'hui, vous pouvez considérer que je ne fais plus partie de la famille.

Puis il rassembla ses maigres affaires et quitta la maison de Carambole pour une destination inconnue.

– Ne t'inquiète pas, confia Aristide à sa femme, il reviendra.

Elora avait vu en rêve que la vie de son aîné suivrait la trajectoire d'un papillon, vivant au jour le jour sans se soucier du lendemain :

– Je le sais autant que toi. Et c'est bien là le problème.

29

Les Fonds Marins

Un navire battant pavillon français, le *Triomphant*, chargé d'or, d'épices et de rhum, coula au large des Îlets Pigeons le 7 octobre 1704. Pris dans une tempête effroyable, les voiles déchirées par le vent, la coque percée par les lames des coraux, il gîta par bâbord avant de se briser en deux sur les rochers affleurant à la surface et de couler par trente mètres de fond. Au fil du temps, il se changea en nid à langoustes et en repaire à murènes sans que jamais personne décèle sa présence non loin de la côte.

Par le plus grand des hasards, grâce à son infatigable énergie, Raphaël Sainte-Rose en retrouva la trace près de deux cent cinquante ans plus tard sur les cartes marines que le capitaine Bonaventure Santa-Rosa avait léguées à son père. Avant de partir de Carambole sur un coup de tête, il avait pris soin de les glisser dans ses bagages et, dès lors, reprenant la route de ses rêves de fortune, il se consacra à la recherche de ce trésor englouti, comme l'enfant qu'il était et ne cesserait jamais d'être. Ne restait plus qu'à localiser l'épave sur les fonds sablonneux au large de la plage noire, mélange de basalte volcanique et de grains de quartz, de Malendure.

L'idée des bateaux à fond de verre lui vint lors d'une sortie en mer, alors qu'il était étendu sur le pont d'un bateau de pêche, le regard fixé au zénith, avec en tête le mirage de l'ambition et sur les lèvres le parfum de sel d'une beauté créole au regard de diamant.

— Pourquoi ne pas créer un bateau à fond transparent ? confia-t-il à la femme qui l'accompagnait.

Le rire de la créole s'éleva dans les airs et disparut dans les alizés.

— Et à quoi cela servirait-il ?

— À observer les fonds marins, les poissons et les coraux et, surtout, à retrouver un trésor englouti. Je suis certain qu'il n'y a pas de plus grande caverne d'Ali Baba que la mer.

Il lui parla des cartes marines de son aïeul, du *Triomphant* et de l'or qu'il transportait. La belle créole se laissa griser par son récit, au point qu'il fut convaincu d'avoir eu là une idée de génie et, s'attelant à la tâche, ne fit plus rien d'autre que se consacrer à ce nouveau projet auquel il croyait dur comme fer.

— Ce qu'il faut d'abord, dit-il à sa compagne une fois ses plans terminés, c'est trouver un bateau pas trop cher.

Il s'enquit du prix des embarcations à vendre dans le port de Malendure et s'arrêta sur une petite barque de quatre mètres qui, après réparation, ferait très bien l'affaire. Ensuite, il commanda au maître verrier du lieu une plaque de verre suffisamment épaisse pour résister à la pression de l'eau et servir de coque transparente.

– Ça ne tiendra jamais, lui confia le maître verrier quand il comprit ce que Raphaël voulait en faire.

– Il faut que ça tienne, rétorqua-t-il, sinon adieu le trésor.

Avec l'aide d'un charpentier de marine, il entreprit les transformations nécessaires sur la coque de noix. D'abord, il fallut la mettre en cale sèche puis, après avoir découpé le fond, installer la plaque de verre avec un système de joints en caoutchouc. Après de nombreuses heures de travail, ils parvinrent enfin à un résultat acceptable.

– Maintenant, dit l'aîné des Sainte-Rose, il n'y a plus qu'à prendre la mer.

Ce qu'il fit dès le matin suivant dans le port de Malendure, devant une foule de curieux, certains que le bateau allait sombrer corps et biens dès sa mise à l'eau. Mais le bateau tint le coup, il se mit à voguer, offrant une vue splendide sur les fonds marins de la mer des Caraïbes.

Pendant des jours entiers, Raphaël chercha en vain l'épave du *Triomphant*. Chaque soir, il rentrait au port, certain que le lendemain serait le bon jour. Et le lendemain n'apportait que d'amères désillusions. Cette attente dura tout un mois. Mais le trente et unième jour, alors qu'il était sur le point de renoncer, il aperçut l'épave du navire français gisant sur un lit de sable, vestige de bois rongé par l'eau et les fougères arborescentes, baignant dans une mer limpide et argentée. Raphaël Sainte-Rose en eut le cœur chaviré.

– Je suis certain qu'il y a là toute la richesse du monde, dit-il avec l'assurance de celui qui se sent proche du but. Sainte-Rose avait donc dit la vérité !

Lorsqu'il se fut assuré qu'il s'agissait bien du *Triomphant*, il ne tint plus en place et, pris de folie, s'équipa de son matériel de plongée et, dans le plus grand secret, effectua sa première reconnaissance.

Parmi les coraux de feu et les poissons-anges, les tortues-luths et les éponges tubulaires, les gorgones et les cerveaux de Neptune, au milieu des bancs de carangues argentées, des orphies et des poissons-perroquets, dans la lumière d'aquarium des grands fonds, il inspecta l'épave du navire. Le bal des murènes et le vol des barracudas ne l'effrayèrent jamais autant que la présence des requins-nourrices qui infestaient les eaux, mais qui par bonheur ne l'attaquèrent pas, se contentant de lui tourner autour en se demandant ce que diable l'humain faisait là.

Il passa de longues heures dans l'ivresse des profondeurs, dans un monde de silence et de rêves, comme un guerrier neptunien cherchant un rayon de soleil dans une nuit liquide. Il savait que le trésor était à portée de sa main, sans doute de l'or, des pierres précieuses, des diamants, des saphirs et des rubis. Toute la folle richesse à laquelle un aventurier peut prétendre. Celle qui fait de vous un nanti pour le reste de l'existence, et dont la seule pensée frappe d'une maladie singulière : la fièvre de l'or, celle des chercheurs d'or.

Ce jour-là, mémorable entre tous, Raphaël remonta à la surface dix-huit bouteilles d'un rhum ambré au parfum suave, vieilli dans la plus belle cave, celle des océans, cinquante kilos d'or et un coffret rempli de pierres précieuses.

– C'est un signe du destin, se résolut-il à admettre en contemplant ce qu'il venait de découvrir et qui le menait tout droit vers la liberté. Je suis désormais l'homme le plus riche du monde !

30

Capesterre-Belle-Eau

Raphaël Sainte-Rose revint à Carambole au volant de la plus somptueuse voiture qu'on eût jamais vue dans la région. C'était une Mercedes 230 SL couleur argent, dotée de deux portes en ailes de papillon, d'un pare-chocs chromé et d'un volant en cuir fauve. Cette voiture avalait des lignes droites à plus de 200 kilomètres-heure et, à chaque changement de rapport, ses 240 chevaux plaquaient ses passagers contre le dossier des sièges-baquets. À cette allure vertigineuse, ce n'était plus de la conduite mais du sport. Ce n'était pas non plus les arbres qui défilaient, mais le paysage tout entier, des pans de mer, le ciel, les montagnes voire toute l'île comme dans un travelling de cinéma.

Aristide et Elora étaient assis sur la terrasse lorsque Raphaël arriva en faisant crisser les pneus sur le gravier de l'allée, et rangea la voiture bien en vue devant la maison.

– Alors, que dites-vous de cette merveille ? s'enquit-il.

– Laquelle ? demanda Aristide, malin comme un singe.

Car Raphaël n'était pas seul. À ses côtés se tenait une femme dont la chevelure noire était emprisonnée dans un foulard de soie verte. C'était la beauté créole au regard de diamant qui l'avait accompagné à la recherche du trésor englouti.

– Je vous présente Rachel Solar, dit-il avec une pointe de fierté dans la voix.

Les deux tourtereaux sortirent de la voiture et rentrèrent dans la maison les bras chargés de cadeaux. Raphaël avait une mine radieuse et semblait un autre homme. Quant à sa compagne, malgré la réserve et la froideur dont elle fit montre devant la famille de Raphaël, elle disposait d'un sésame très féminin : elle rayonnait de beauté.

– Vous venez vous installer ici ou vous êtes simplement de passage ? demanda Aristide.

– Je n'en sais encore rien. Ça dépendra des événements.

– Quels événements ? interrogea Elora qui avait une idée de la réponse.

– Rachel est enceinte de cinq mois.

– Et… vous êtes mariés ? demanda Elora, toujours aussi à cheval sur les traditions.

– Pas encore, répondit Rachel avec un sourire. Mais Raphaël m'a promis qu'il me passerait la bague au doigt avant la fin de l'année.

– On fera le mariage et le baptême tout à la fois, coupa Raphaël, comme ça on gagnera du temps à l'église.

Puis il partit d'un grand éclat de rire et la tension qui régnait depuis leur arrivée se dissipa comme un nuage balayé par le vent du renouveau.

Rachel Solar venait de Capesterre-Belle-Eau et était issue de la haute bourgeoisie de la ville. Son père, à défaut d'argent, avait reçu une éducation stricte qu'il avait ensuite transmise à ses enfants, leur vantant les mérites de l'ascension sociale. Rachel, qui était belle et le savait, s'était servi de ce tremplin pour obtenir ce qu'elle voulait : à savoir l'amour et l'argent facile. Lorsqu'elle avait rencontré Raphaël, elle avait aussitôt compris quel parti elle pourrait tirer de lui. En dépit du fait qu'il voulait vivre sa propre vie et se passer des subsides de son père, ce beau garçon demeurait l'héritier de la rhumerie. La seule ombre au tableau était son comportement volage et son caractère taciturne, mais elle se faisait fort de l'amadouer et de le rendre heureux en ménage, tout en lui faisant oublier l'envie d'aller voir ailleurs. Elle croyait à la magie et avait concocté, pour garder la flamme de leur passion intacte, un philtre d'amour à base d'or soluble et de mercure que n'aurait pas renié Elora.

Rachel, dès qu'elle mit les pieds à Carambole, fut immédiatement acceptée par Aristide qui la trouvait piquante et pleine d'énergie. En revanche, Elora ne put jamais s'entendre avec cette femme à qui elle trouvait des manières affichées de dame et un caractère de feu mal dissimulé.

– On dirait une princesse au milieu de servantes et de laquais, gronda-t-elle.

Raphaël, qui l'aimait pour ses nuits sans sommeil, ne prêta guère attention à ces remarques. Rachel avait dans son corps de rêve la dynamite de l'amour, ce qui lui suffisait amplement.

– Laisse-lui un peu de temps. Je suis certain que bientôt vous serez deux amies inséparables.

Elora laissa dire mais n'en pensa pas moins, elle avait vu en rêve que cette union, si elle allait donner un fruit, ne durerait pas le temps d'une année.

Rachel Solar ne possédait pas la beauté diabolique d'Isabelle Mangue, mais elle était tout de même une de ces femmes volcaniques dont Raphaël avait pris l'habitude de s'enticher. Elle était mince et brune, avec une peau cuivrée au soleil des Caraïbes, un dos galbé, de longs cils noirs recourbés et des jambes interminables qu'elle mettait en valeur en portant des jupes si courtes et des talons si hauts qu'ils frisaient l'indécence. Une de ces créatures troublantes qui rendent les hommes fous de désir en quelques pas de danse. Nul ne douta que Raphaël en était tombé amoureux au premier regard. Cette fille avait du chien, et elle le savait.

Un jour, elle fit un tel caprice pour une broche qu'elle

accusait Martine d'avoir égarée que Elora, agacée par ce comportement, lui lâcha cette bordée :

– Quand on est une pièce rapportée, on ne pète pas plus haut que son cul.

Rachel faillit s'en étrangler, mais Raphaël, comme d'ordinaire, s'interposa entre les deux femmes :

– Je vous en prie, même si vous devez demeurer ennemies pour le restant de vos jours, faites au moins bonne figure jusqu'au mariage.

31

Valombreuse

Les préparatifs du mariage occupèrent la maisonnée pendant tout un trimestre. Chacun y participa dans la mesure de ses moyens et, même s'il régnait parfois comme un air de fête, c'était une révolution au sein de la famille.

Une semaine avant la noce, Aristide installa dans le jardin un vaste chapiteau sous lequel il disposa douze tables de douze convives, et fit fabriquer par un menuisier autant de chaises qu'il était possible, car il tenait à ce que tout le village se retrouve pour le pot d'honneur. Elora, quant à elle, s'enferma dans sa cuisine, s'apprêtant à cuisiner pour un régiment pendant toute une année. Martine décora avec du papier crépon la demeure, et Daniel, revenu pour l'occasion, s'occupa d'entretenir le jardin et d'envoyer les invitations. Vanille, venue de Pointe-à-Pitre avec son mari, prit part de loin aux préparatifs, supervisant d'un air hautain les domestiques qu'on avait employés pour l'occasion. Quant à Lisa, dans son couvent de Santa-Maria-de-Guadalupe, elle fut missionnée à coudre et à broder la robe que devait revêtir Rachel, et fit parvenir par la poste le paquet renfermant le fruit de son travail.

La veille du mariage, Raphaël, nerveux, agacé par tout ce remue-ménage et ces bondieuseries qu'il jugeait malsaines, déclara :

– Je ne resterai pas une minute de plus dans cette maison de curés. Je vais prendre l'air et je reviendrai demain pour la cérémonie.

Et, sans saluer personne, il se précipita vers sa voiture, s'assit derrière le volant et démarra en trombe. En vérité il avait en tête de passer sa dernière nuit de célibataire dans les bras d'une autre femme que Rachel.

Dans le parfum mêlé des oranges amères et des fleurs de vanilliers dont l'air du domaine de Valombreuse était saturé jusqu'à l'écœurement, habitait une créole à la peau noir charbon et aux yeux brillants comme des flammèches d'or. Elle avait des élans aussi brûlants que le volcan et vendait ses charmes contre quelques pièces d'argent aux pauvres diables qui ne disposaient que de ce moyen pour faire l'amour à une femme. Elle s'appelait Marie-Joséphine, avait tenu un bordel à Pointe-à-Pitre au temps de sa jeunesse, et connaissait tout des choses de l'amour. C'est en sa compagnie que Raphaël Sainte-Rose résolut de partager sa couche la veille de son mariage avec Rachel Solar.

Cette maîtresse femme vivait seule dans ce qui avait été autrefois un palais, mais n'était plus qu'un champ de ruines où volaient les anges diaphanes du souvenir. Ce n'était pas la première fois que Raphaël entrait dans les draps de son lit, mais il l'avait perdue de vue depuis long-temps. Pourtant, lorsqu'il pénétra au cœur du domaine, Marie-Joséphine était là à l'attendre comme si elle avait su depuis toujours qu'il viendrait à ce moment précis.

— Je le savais, dit-elle dans un sourire éclatant, tout en prenant sa main qu'elle posa sur son cœur.

— Je suis venu te voir parce que demain je vais me marier, et que je n'aurai plus le droit de tromper ma femme, confia Raphaël en lui rendant son sourire.

— Dans ce cas, puisqu'il s'agit de la dernière fois, je vais te donner ce dont tu as besoin.

Ils marchèrent côte à côte le long de l'allée et entrèrent dans la maison sans mot dire. Le lit était immense. Marie-Joséphine commença à se déshabiller, elle fit glisser son pagne en peau de panthère cachant à peine sa croupe débordante et sensuelle de négresse, une croupe haut perchée sur des jambes de gazelle, tandis que Raphaël posait sur la commode quelques billets froissés et tachés de sueur.

Elle avait de petits seins fermes comme des pêches et des cheveux frisés qu'elle enserrait dans un foulard multicolore. Quand il la prit, elle se mit à pousser des petits cris de chatte qui faillirent lui faire tourner de l'œil tant elle faisait l'amour de façon animale.

Ce soir-là, Raphaël en eut pour son argent et connut l'extase hors mariage pour la dernière fois de sa vie.

Ils firent l'amour une bonne partie de la nuit et s'endormirent au petit matin. Raphaël resta dans la chaleur de son lit toute la matinée et sans doute y serait-il resté jusqu'au soir s'il ne s'était souvenu à la dernière minute que son mariage allait avoir lieu. Alors que le soleil de midi filtrait à travers les persiennes, il s'éveilla en sursaut et annonça à Marie-Joséphine :

— Je dois y aller, maintenant.

Elle sortit du sommeil, lui sourit et se blottit contre son corps une dernière fois, humant son parfum de musc et de chèvrefeuille.

— Reviens me voir si tu n'es pas heureux dans ton couple. J'aurai toujours une petite place pour toi.

— Je te remercie de ta sollicitude mais je crois que ça ira. Cette nuit entre tes bras m'a donné des remords et je ne voudrais pas que ça me perturbe à l'avenir.

Il l'embrassa, se leva, revêtit ses habits et quitta la maison en silence. En sortant dans le parc, longeant les tunnels de roses porcelaine et d'orchidées, les bosquets d'heliconias et d'alpinias, parmi le chant des colibris et des sucriers, il rencontra celui qu'il craignait de voir par-dessus tout. Celui dont lui avait si souvent parlé Aristide : le fantôme du capitaine Bonaventure Santa-Rosa. Tel le spectre qu'il avait toujours été, il se tenait debout sur le sentier, un bouquet d'anthuriums à la main, le dos appuyé contre le tronc d'un balisier sauvage. Il souriait avec extase, montrant ses dents jaunies et ses gencives ensanglantées par le scorbut. Il semblait ne se soucier de rien, ni de son corps ni du monde extérieur. À la place des yeux, deux abeilles d'or brillaient comme ceux du chaman indien qu'il avait fait pendre trois siècles plus tôt à la plus haute vergue.

Lorsque Raphaël fut à sa hauteur, il sentit une odeur nauséabonde envahir ses narines. Il comprit alors que Santa-Rosa revenait du royaume des morts pour lui annoncer un malheur.

32

Goyave

Au même instant, à Carambole, Rachel Solar, assise dans un fauteuil du salon, le regard perdu dans le vide, se leva d'un bond en s'écriant :

– Je viens de faire sous moi !

En vérité, elle venait de perdre les eaux, mais comme il s'agissait de son premier enfant et qu'elle n'était jamais passée par ce stade ultime de la grossesse, elle rougissait de honte.

– Allons bon, dit Elora qui avait compris ce qui arrivait, il ne manquait plus que ça. Et la veille du mariage encore !

On s'empressa d'aller chercher la vieille sage-femme et on prépara l'accouchement. Rachel fut transportée au premier étage et resta alitée pendant que les premières contractions lui arrachaient des cris de douleur qui faisaient trembler les murs.

Lorsque Rachel mit au monde son enfant, surprise par la taille de cette petite boule qui n'en finissait pas de se dérouler, toute à sa fièvre puerpérale qui lui donnait des idées de grandeur, elle le prénomma Maxime.

Aristide et Elora, ravis d'être enfin grands-parents, voulurent le baptiser sur-le-champ et donnèrent des ordres pour cela.

– Mais puisque le mariage doit avoir lieu demain, fit remarquer Rachel, ne vaudrait-il pas mieux attendre et s'occuper de tout ensemble ?

– On n'est jamais trop prudent, insista Elora. Songez, ma pauvre, s'il venait à passer dans la nuit…

Forte de cet argument, elle alla mander le prêtre qui accourut aussitôt et consacra l'enfant sur les fonts baptismaux en versant sur son front un peu d'eau bénite.

– Désormais, les rassura le père Matteo Pagano, cet enfant appartient au royaume de Dieu. Il n'y a plus qu'à attendre le retour de son père pour que la boucle soit bouclée et célébrer la noce.

Mais le destin en avait décidé autrement, il était écrit que Maxime Sainte-Rose ne devait jamais connaître son géniteur. L'accident qui coûta la vie à Raphaël se produisit peu après son départ de Valombreuse sur la route du bord de mer. Dans un virage serré, la voiture fit une embardée, dérapa sur le gravier, traversa la route et alla s'écraser de plein fouet contre le tronc d'un goyavier centenaire. Raphaël Sainte-Rose, la cage thoracique enfoncée par le tableau de bord, mourut sur le coup dans le parfum des goyaves.

Lorsque le policier qui avait rédigé le constat de

l'accident se présenta au domicile des Sainte-Rose et leur apprit le décès de Raphaël, ce fut l'abattement le plus total. Aristide ne put s'empêcher de s'écrier :

— Je savais que ça devait finir comme ça.

En vérité, ce qu'il n'acceptait pas, c'était que son fils meure avant lui, car ce n'était ni dans l'ordre du temps ni dans les règles qui régissent ce monde. Mais Raphaël était lui aussi porteur de la malédiction de l'échec. Elora, elle, savait depuis qu'elle avait vu en rêve un grand soleil noir se lever à l'horizon, même si elle n'avait rien dit à personne.

Rachel Solar, quant à elle, en demeura si hébétée qu'on se demanda pendant de longues minutes si elle avait compris la tragédie qui venait de se jouer. Elle regardait son enfant d'un air hagard, sans un mot. Enfin, lorsque sa raison accepta l'inéluctable, elle explosa en pleurs.

— On paie toujours ce qu'on doit un jour ou l'autre, assura Elora. Tandis que Dieu nous donnait un petit-fils, le diable nous reprenait un fils.

Les funérailles de Raphaël Sainte-Rose furent l'occasion de rassembler toute la famille pour la première fois depuis bien longtemps, sans qu'il y ait eu besoin de prévenir quiconque. Les parents, les frères et sœurs, les oncles et tantes, les nièces et neveux d'Aristide et Elora arrivèrent à Carambole le jour même, ils avaient tous été conviés au mariage. Il en vint de partout, par le biais de la locomotive à vapeur, par voie maritime, par voie de terre, en voiture, en vélomoteur ou le plus souvent à pied. Et pour conduire le cercueil jusqu'aux portes de l'église, il se forma un cortège de plus de cent personnes.

– On pense venir à un mariage, dirent certains, et c'est un enterrement qui vous attend.

Pendant les trois semaines que dura le deuil, la maison de Carambole se changea en un vaste hôtel où chacun installa un lit de fortune au petit bonheur la chance, dans les chambres des enfants, la cuisine ou la terrasse. On en trouva même allongés dans la cage d'escalier, debout dans les placards ou adossés à l'alambic dans la rhumerie. Certains préférèrent installer leur tente dans le jardin et attendre qu'on vînt les en déloger, ce que fit Elora au terme du vingt et unième jour. La maison ressemblait à un capharnaüm, comme si une sorte de cirque avait pris possession de la demeure. Il y avait là des têtes connues, d'autres un peu moins, et certaines qu'on n'avait jamais vues. Ils étaient venus de partout, de Bouillante, du Moule, de Marie-Galante, de Saint-François ou de Vieux Habitants, tous portant le nom de Sainte-Rose ou de Vargal, du cousin germain jusqu'à l'arrière-petit-neveu. Non que Raphaël eût marqué les esprits, mais partout dans l'île avait résonné le fracas de l'accident d'auto, le premier du genre en cette époque de pionniers de l'automobile.

– Tu comprends, avait dit l'un des frères d'Aristide, venu tout exprès de Matouba, c'est la première fois que quelqu'un de la famille meurt à plus de cinquante à l'heure...

Malgré le chagrin, on but des quantités indécentes de rhum, on mangea des cochons sur pied et des régimes de bananes entiers pendant toutes les funérailles, et si le deuil avait dû se poursuivre, nul doute que la famille aurait été conduite à la ruine.

– Tout cela ne relève pas d'un comportement très chrétien, confia Elora en les voyant quitter un à un sa maison devenue un vaste chantier, mais que veux-tu, je ne pouvais pas les chasser avant le dernier jour de deuil.

– C'est vrai, ajouta Aristide, un peu ému. Et puis je suis sûr que cela aurait fait plaisir à Raphaël. Il a toujours aimé faire la fête.

33

Trois Rivières

Rachel Solar fut la seule à ne pas assister aux funérailles de son mari. Elle se retira du monde et s'enferma dans le tunnel de la dépression, passant de longues journées dans sa chambre sans jamais en sortir, pas même pour les repas qu'elle prenait assise devant la fenêtre, le regard perdu dans le vague.

– Vous feriez mieux de prendre l'air dans le jardin au lieu de végéter dans un lit comme une morte, l'exhorta Elora.

Mais rien n'y fit. Ni les perspectives de promenades, ni les rayons de soleil filtrant à travers les persiennes, ni même la présence de Maxime à ses côtés ne purent la sortir de sa torpeur. Elle semblait perdue pour la vie et ses joies, et ne put bientôt plus s'occuper de rien, si ce n'est de cultiver sa maladie de langueur. Parfois, la nuit, on l'entendait pleurer comme un animal blessé et se frapper la tête contre les murs jusqu'à ce qu'elle perde connaissance.

– Autant creuser ma tombe tout de suite puisque j'ai déjà un pied dedans.

Lorsqu'on la poussait à s'expliquer davantage sur les humeurs noires qui l'obsédaient, elle répondait :

– Je ne suis plus de ce monde.

Comprenant que rien ne pourrait la sortir de sa carapace de solitude et de souffrance, pas même la présence de son enfant, Aristide la confia aux bons soins du corps médical. Il y avait dans le bourg de Trois Rivières un havre de paix pour les âmes en peine qu'on nommait la Maison des fous. Il s'agissait en réalité d'un hôpital psychiatrique tout ce qu'il y a de plus moderne, comprenant plusieurs bâtiments, un réfectoire commun et un hôpital proprement dit où l'on soignait les malades à coups d'électrochocs et de douches froides. Il y avait aussi une chambre sans fenêtre aux murs capitonnés où on enfermait les plus atteints en leur passant la camisole. L'hôpital était cerné d'un grand parc arboré que les perroquets, les canaris et les colibris avaient colonisé au fil des années, provoquant un tel tintamarre dès les premières lueurs de l'aube qu'ils réveillaient tous les pensionnaires.

Rachel Solar y fit son entrée trois mois après le début de son veuvage. Elle s'y laissa conduire docilement par son beau-père, et fut examinée par une cohorte de médecins qui diagnostiquèrent une dépression de type mélancolique.

– Vous serez ici en bonnes mains, déclara Aristide après avoir visité l'établissement.

Mais en dépit de tous les traitements, Rachel ne se remit jamais de la mort de Raphaël et n'entendit jamais le chant des oiseaux dans le parc. Elle ne demanda pas davantage à revoir son fils dont elle semblait avoir oublié l'existence. Il fut élevé par ses grands-parents au domaine de Carambole, loin de cette mère qui ressemblait à un fantôme.

Elle mourut trois ans plus tard d'une crise cardiaque, un verre de champagne à la main, en compagnie des malades de l'hôpital psychiatrique avec qui elle passait le réveillon de fin d'année. Elle avait trente-cinq ans mais en paraissait vingt de plus. En quelques mois, la dépression et la nostalgie l'avaient changée en une femme à l'esprit mort. Les médecins avaient très vite jugé son cas sans espoir. Le soir de sa mort, terrassée par une attaque, elle s'était écroulée la tête dans le gâteau. Certains crurent à une farce, mais lorsqu'on la releva, on comprit qu'elle était morte.

Les funérailles eurent lieu dans l'église de Carambole, suivies d'un maigre cortège qui accompagna le cercueil le long du sentier poussiéreux conduisant au cimetière de Carambole. Tout au long de ce chemin de croix, Aristide Sainte-Rose tint la main de son petit-fils qui était un bambin rêveur et ne comprenait pas la tragédie qui se déroulait sous ses yeux. Il le protégeait comme un trésor, car il avait compris qu'en cet enfant se trouvait sans doute sa seule descendance.

34

Trou Madame Coco

Des années après que son père eut fracassé son destin contre un arbre centenaire et que sa mère eut succombé à une attaque aussi brutale, Maxime Sainte-Rose fut initié au parfum du rhum des Caraïbes. La première fois que son grand-père l'amena au cœur de la distillerie, lui fit connaître les vapeurs de l'alambic, lui expliqua le mécanisme de la machine et lui fit goûter le précieux alcool au goût de miel, il avait à peine six ans. Il était si jeune, et pourtant tout devait rester gravé dans sa mémoire, l'odeur de tabac vanillé et de muscade qui imprégnait les vêtements du vieil homme, son accent créole, la rudesse de son langage et la bonté de son cœur, le parfum des hibiscus, la musique des vagues en contrebas, le chant des colibris, la fraîcheur du vent dans les feuilles de palmier, jusqu'au soleil tapant sur leurs crânes avec une frénésie de batteur de jazz.

– C'est de l'or, grand-père ?

– Oui. L'or du rhum. La plus grande richesse au monde.

Comprenant que tout cela lui appartiendrait plus tard, Maxime se laissa entraîner par sa curiosité et se rêva propriétaire de ce royaume d'effluves, parmi les fragrances de sucre et de vanille, les senteurs du gommier blanc et de l'acomat et l'odeur entêtante de l'ananas-bois et des siguines. Pour son âme d'enfant, la rhumerie devint une sorte de paradis originel, un lieu préservé du monde, où l'on changeait par magie de la canne à sucre en rhum couleur d'or. Aussi passa-t-il l'essentiel de ses journées dans ces lieux déjà chargés d'histoire, à apprendre le métier, à fabriquer le rhum béni des dieux et à attendre le moment propice où il serait en mesure de prendre les rênes de l'entreprise.

Maintenant que Raphaël était mort et que son ombre planait au-dessus de la distillerie, lui qui n'y avait jamais passé plus de temps que nécessaire pour s'y saouler, Aristide rêvait de grandeur pour son petit-fils. Il était certain que Maxime ferait honneur à son sang et à sa race et deviendrait le gardien d'un temple sacré.

Ses attentes ne furent pas déçues. À dix ans à peine, Maxime délaissait ses compagnons de jeux pour rentrer en toute hâte à la maison et aider son grand-père à la rhumerie. Aristide, intransigeant sur le label qualité qui faisait la renommée de son breuvage, lui apprit toutes les astuces du métier. Souvent, en fin de journée, alors que les derniers clients étaient partis, le grand-père et le petit-fils se plantaient face à l'alambic et contemplaient leur œuvre.

– Plus tard, cette distillerie sera à toi, Maxime, et c'est toi qui auras la charge de veiller sur ce patrimoine.

L'enfant ne disait rien, se contentant de poursuivre son labeur avec application, car en aucun cas il ne voulait décevoir son grand-père.

Lorsqu'il en parla à Elora, Aristide vit cependant ses espoirs se ternir. En véritable pythonisse, sa femme lui tint un tout autre discours, car elle avait vu en rêve que rien ne se passerait de la sorte.

– Tout ça, c'est ce que tu t'imagines, mais pour Maxime tu fais fausse route.

– Pourquoi donc ?

– Je vois un autre avenir pour lui.

– Et lequel ?

– Je n'en sais rien, éluda-t-elle, mais en tout cas il ne passera pas sa vie ici enfermé dans cette distillerie.

Comme Elora ne lui en confia jamais davantage, Aristide trouva une parade. Au nord de l'île, à Trou Madame Coco, vivait une vieille femme nommée Madame Blanche qui passait pour une sorcière. Elle lisait l'avenir dans les lignes de la main, les cartes à jouer, le rhum brun et le marc de café. Elle avait la peau aussi pâle que du lait, se nourrissait d'insectes grillés et de manioc et buvait chaque jour une pinte de sang frais d'un poulet qu'elle égorgeait elle-même avant de le plumer et de le faire cuire à feu vif dans une grande marmite en fonte, avec trois gousses d'ail, un peu de safran et de la sauce-chien. On racontait qu'elle avait eu plusieurs vies, sept au total, et dans l'une d'elles, sans doute la plus belle, elle aurait été une comtesse italienne ayant fini ses jours dans un palais vénitien, avant de se trancher les veines avec le cristal froid d'un verre de Bohême. La raison en était un chagrin d'amour du nom d'Alessandro Della Pierra qui, sur le tard, lui avait préféré une jeunesse de Vérone aux seins d'albâtre et à la cuisse ferme, laissant son épouse délaissée au bord du précipice de la solitude et du désamour.

Madame Blanche avait été belle et conservait sur sa peau flétrie par les années la marque des reines. Elle vivait de croyances et de rites et ne s'exprimait que d'une manière sibylline, par dictons et adages dont elle laissait l'interprétation aux esprits invisibles. Elle croyait dur comme fer que la lumière du crépuscule faisait pousser les légumes, qu'il fallait se couper les cheveux à la lune montante et que les pensées des morts vivaient dans les ramures des arbres.

Maxime Sainte-Rose lui rendit visite le jour de ses quinze ans. Il était venu sur les conseils avisés de son grand-père.

– Cette femme sait beaucoup de choses que les autres ne devinent même pas. Mais il te faudra les interpréter à ta manière car elle ne s'exprime que par paraboles, lui confia Aristide avant de le conduire à Trou Madame Coco et de le laisser seul devant la vieille grille rouillée de la maison.

Dans la main, le garçon tenait une pièce d'or que lui

avait donnée son grand-père, rescapée du trésor de Santa-Rosa, et qui devait servir à payer la consultation.

Maxime poussa la grille et entra alors dans ce qu'il prit pour une maison à l'abandon. Le jardin était en friche, recouvert de hautes herbes et parsemé d'arbres qui n'avaient connu aucune taille depuis au moins un siècle. Quant à la demeure, faute d'entretien et de réparations, elle n'était guère en meilleur état. La façade était lézardée, les vitres brisées et les volets ne tenaient sur leurs gonds que par un miracle d'équilibre. Sur le perron aux marches usées était assise une vieille femme aux cheveux blancs qui récitait des prières en créole. Maxime s'avança vers elle, le souffle coupé par l'appréhension.

– L'arbre-sorcier a des calices mauves et l'un d'entre eux est le Graal, lui confia Madame Blanche lorsqu'elle le vit venir à elle.

C'était une femme étrange qui se tenait devant lui, une personne qui n'avait rien de commun avec les mortels.

– Approche-toi, mon ange, lui dit-elle encore avec un sourire béat de folle. Je ne vais pas te manger.

Maxime obéit en tremblant et s'avança vers le perron devant lequel il resta figé comme une statue. Il eut néanmoins le réflexe de lui tendre comme une offrande la pièce d'or qu'il tenait au creux de sa paume. Avant qu'il puisse ouvrir la bouche, Madame Blanche se saisit de la pièce, la regarda miroiter sous le soleil et souffla comme en secret :

– Elle est très belle... Qui es-tu ?
– Je me nomme Maxime Sainte-Rose.
– Un bien joli nom... Viens avec moi dans le jardin et laisse-moi te dire l'avenir.

Elle le prit par la main et lui fit traverser un champ de fougères arborescentes et de philodendrons où vivaient une colonie de phasmes, des serpents et un iguane. Au passage, elle prit une couleuvre et l'enroula autour de son cou comme une écharpe d'argent. Maxime, qui avait une frousse bleue des reptiles, n'osa cependant rien dire. La présence de cette femme l'inquiétait et le rassurait tout à la fois. Il comprit alors qu'elle était en mesure de l'aider à vaincre ses peurs les plus profondes. Aussi la suivit-il sans rien dire le long du sentier, et sans doute l'aurait-il suivie jusqu'au bout du monde si d'aventure elle l'avait conduit aussi loin. Ils marchèrent en silence jusqu'à un vieux moulin où, sous la fraîcheur d'un catalpa, ils s'assirent sur la margelle d'un puits. Le serpent glissa du cou de Madame Blanche et disparut dans l'herbe avec un sifflement. Maxime écouta de longues minutes le chant des grillons sur le tambour des feuilles de raisiniers bord-de-mer, tout en observant la danse des libellules et des dynastes volant au-dessus de sa tête.

– Maintenant, donne-moi ta main, dit Madame Blanche.

Il obéit et lui tendit sa paume ouverte. Elle lui apprit ce jour-là bien des choses sur son avenir, les mêmes qu'Elora avait vues en rêve mais qu'elle ne pouvait livrer à son petit-fils, tant elle craignait en faisant cela de changer à jamais son humeur en un flot de tristesse.

Elle lui apprit qu'il connaîtrait deux histoires d'amour, mais qu'il n'aurait jamais de descendance. Elle lui confia aussi qu'il voyagerait beaucoup autour du monde. Et surtout qu'il ne reprendrait pas la rhumerie de son grand-père.

Ils restèrent ainsi l'un en face de l'autre, dans l'incendie du soleil, jusqu'à ce que le bal des étoiles s'installe dans le ciel. Dans l'obscurité, les yeux de Madame Blanche brillaient comme deux lueurs jaunes. Elle avait quelque chose d'animal en elle. Le plus troublant, c'est qu'elle n'avait pas d'ombre.

– Prends garde à la beauté des choses, lui souffla-t-elle à l'oreille, elles pourraient bien te happer et t'emmener loin d'ici.

Madame Blanche posa sa main sur le visage du garçon et laissa glisser son doigt sur sa joue. Puis elle soupira, se leva et lui fit un signe d'adieu avant de disparaître dans le jardin et de se fondre dans les fougères arborescentes comme un serpent.

Lorsqu'il quitta le domaine, Maxime Sainte-Rose comprit qu'il avait grandi de dix ans en un jour et que jamais plus il ne rencontrerait un archange comme Madame Blanche. Il retrouva son grand-père qui l'attendait devant la grille.

– Alors, que t'a-t-elle prédit ? lui demanda le vieil homme.

Maxime, qui ne voulait pas lui faire de peine, choisit de lui mentir :

– Je suis désolé, grand-père. Je n'ai rien pu tirer de cette vieille folle.

35

Eau blanche

Maxime Sainte-Rose fit une nouvelle fois connais-sance avec la magie lorsque, surgissant de nulle part, l'esprit du capitaine Bonaventure Santa-Rosa vint lui rendre visite au moment où il s'y attendait le moins.

C'était par un bel après-midi d'été, le soleil brillait dans un ciel d'azur piqué de lune et il se trouvait en mer, du côté des Îlets du Carénage. Il pêchait le barra-cuda et l'espadon, laissant traîner derrière sa barque un long fil de pêche au bout duquel il avait hameçonné un ver des sables, lorsqu'il vit poindre à l'horizon la sil-houette d'un homme se tenant debout tel un sémaphore sur un rocher affleurant au large. Au début, il crut à un mirage, mais quand l'étrange apparition s'agita en tout sens, donnant de la voix, il comprit qu'il s'agissait là d'un être vivant. En s'approchant, il put distinguer un homme qui, de sa main, agitait son chapeau. Il était vêtu de haillons, avait les cheveux en bataille, une barbe broussailleuse, et chose étonnante, portait au ceinturon un sabre d'abordage.

Maxime Sainte-Rose, sans se poser la moindre question, certain qu'il s'agissait là d'un naufragé ayant besoin qu'on le secourût, dévia son embarcation vers le malheureux et, en moins d'un quart d'heure, fut sur lui. Sans doute était-il échoué depuis longtemps car son visage était celui d'un mort, avec des joues d'ombre et les yeux exorbités d'un cadavre. Malgré ses habits de carnaval et son air inquiétant, il l'invita à monter à bord, sans se douter un instant qu'il s'agissait là de son aïeul revenu du royaume des morts.

– Qui êtes-vous ? demanda Maxime lorsqu'il eut détaillé cet être sorti tout droit des temps de la flibusterie et des boucaniers.

– Je suis le capitaine Bonaventure Santa-Rosa, pour vous servir, jeune homme.

– Je ne vous crois pas…

– Vous n'y êtes pas obligé. Mais c'est pourtant la vérité.

– Désirez-vous que je vous dépose à terre ? demanda l'adolescent sans savoir si ce qui se tenait face à lui était réel ou imaginaire.

Mais la réponse que lui fit le naufragé le laissa pantois.

– Non, je suis très bien ici…

– Vous n'êtes pas un naufragé ?

– Pas le moins du monde. Je suis là de mon plein gré.

Maxime crut un instant que cet homme se moquait de lui.

– Dans ce cas, si vous êtes vraiment celui que vous prétendez être, c'est-à-dire mon aïeul, que puis-je faire pour vous ?

– Rien, je le crains. En revanche, je peux faire quelque chose pour toi. Pour me faire pardonner de ma très grande faute qui, un jour, t'éloignera de ce rivage, et à défaut de pouvoir lever la malédiction qui pèse sur toi, je peux te rendre la souffrance de l'existence moins cruelle.

L'homme tira de sa poche un flacon de verre sur lequel étaient inscrits ces deux mots : « Eau blanche ».

– Qu'est-ce que c'est ? interrogea Maxime, de plus en plus intrigué.

– Un élixir contre les peines d'amour.

– Je ne suis pas amoureux.

– Aujourd'hui, oui, mais demain, qui peut le dire ? L'amour est un fléau qui ne prévient jamais…

Le naufragé volontaire déboucha le flacon et aussitôt en sortit un nuage de vapeur qu'il huma avec un vif plaisir.

– Il suffit d'en respirer les effluves, ou de s'appliquer trois gouttes sur le cœur pour calmer les peines d'amour. Tiens, il est pour toi.

Il lui tendit le flacon que Maxime hésita à prendre, mais comme l'homme se faisait insistant, il finit par s'en saisir.

– Je vous remercie… Vous êtes sûr que vous ne voulez pas que je vous conduise à terre ?

– Certain. Je dois bientôt repartir vers le large, lorsque mon embarcation daignera venir me chercher.

À peine eut-il prononcé ces mots qu'une tortue-luth surgit des flots et pointa sa tête hors de l'eau. Dès qu'elle apparut, le capitaine sauta à califourchon sur sa carapace et, agitant son chapeau de pirate au-dessus de sa tête, s'écria :

– Bon vent à toi, Maxime. Je suis très heureux d'avoir fait ta connaissance.

La tortue plongea et le capitaine Bonaventure Santa-Rosa disparut comme par enchantement, avalé par la mer bleue des Antilles.

Lorsqu'il en parla à son grand-père, ce dernier sut que son petit-fils disait vrai et que, dès le lendemain, sa vie allait changer du tout au tout.

– Garde précieusement cet élixir, je suis certain que tu vas en avoir besoin bientôt, le capitaine Bonaventure Santa-Rosa n'apparaît jamais sans raison.

36

Marie-Galante

Aristide ne croyait pas si bien dire.

À cette époque arriva à Carambole la nouvelle institutrice. C'était une jeune femme aux traits délicats, rayonnante de beauté, qui venait prendre la relève du vieil instituteur parti à la retraite. Elle avait pris le chemin de fer de Bouillante et descendit dans la toute nouvelle gare de Carambole, vêtue d'une robe d'organdi et chargée de deux valises en cuir.

Elle avait le port de tête et la grâce d'une danseuse, et paraissait si fragile que, par crainte de la briser, on avait pour elle de délicats égards. On n'osait serrer trop fort la main frêle aux longs doigts graciles qu'elle vous tendait, ni soutenir trop longtemps son regard d'ambre tant il ressemblait à un bijou. Elle avait de longs cheveux noirs qu'elle laissait pendre comme des rubans et un grain de peau qui semblait de soleil cuivré. Elle était radieuse comme un matin d'été et douce comme un poème.

On apprit bientôt qu'elle se nommait Marie Monclar

et venait de Marie-Galante où elle avait passé sept années à enseigner à de jeunes enfants les mérites de l'éducation républicaine, les valeurs morales de la France, la géographie, l'orthographe et le calcul. Elle s'y trouvait bien, et n'aurait pas songé à en partir si ce n'était pour la France, et surtout Paris, qu'elle rêvait de connaître. Fort de cette demande de mutation, l'administration l'avait envoyée dans un village perdu de Basse-Terre.

Dès qu'il la vit, Maxime Sainte-Rose en perdit l'appétit et le sommeil. Elle lui semblait échappée d'un monde éthéré, fait de nuages, de rêves et de vent. Il la croisait chaque matin lorsqu'il allait livrer sa production de rhum à la coopérative. Elle était là, debout sous le préau de l'école, surveillant ses élèves d'un œil bienveillant.

Subjugué par sa beauté et la précision de ses gestes, il restait derrière la grille, à la contempler, jusqu'à ce qu'elle frappe dans ses mains pour annoncer la fin de la récréation.

À force de le voir passer, elle finit par le remarquer et, un jour qu'elle prenait l'air dans la cour, ils engagèrent la conversation.

– C'est donc vous qui habitez la rhumerie ?

– Et vous, vous êtes la nouvelle institutrice ?

Il l'invita à venir visiter la rhumerie, ce qu'elle fit dès la semaine suivante. Il apprit ainsi qu'elle n'était pas mariée et n'avait pas d'enfant, même si elle désirait de tout cœur en avoir toute une ribambelle, s'occuper de l'éducation de ceux des autres ne suffisant pas à son bonheur. Au fil du temps, ils se lièrent d'amitié et, bientôt, ne purent plus se passer l'un de l'autre. Maxime lui donnait rendez-vous chaque soir à la sortie de l'école et Marie se laissait faire la cour. Elle venait de découvrir avec une joie mêlée d'effroi qu'elle n'était pas insensible à ce garçon plein de charme. À force de se fréquenter et de s'aimer en cachette, Maxime finit par lui proposer le mariage et, à sa grande surprise, la belle ne dit pas non.

– C'est peut-être une bêtise que nous commettons là, mais il me semble qu'elle en vaut la peine, lui répondit-elle avant de l'embrasser dans le cou.

Maxime Sainte-Rose épousa Marie Monclar au mois de mai de l'année suivante, lors de la fête des fleurs. Le mariage se déroula en toute intimité dans la maison de Carambole qui avait pris des airs de nécropole depuis le décès de Raphaël. Mais ni Maxime ni Marie n'avaient de goût pour l'ostentation. On se contenta de dresser un chapiteau dans le jardin où, à l'issue de la cérémonie, les convives se retrouvèrent autour d'un verre de rhum et d'un buffet avant de s'égailler dans la fraîcheur du crépuscule. Un orchestre joua jusqu'à la tombée de la nuit quelques airs de fête et la mariée fit montre de son talent éclatant de danseuse en enchaînant les biguines et les merengues. Son corps souple comme une liane ondulait autour de Maxime que cette folle sarabande rendait fou.

– Tu es belle comme une diablesse, lui souffla-t-il à l'oreille.

Dès lors, les deux amoureux surent que la nuit serait brûlante. Lorsque les douze coups de minuit eurent sonné à la pendule du salon, les mariés saluèrent tout le monde et s'enfuirent, ils n'en pouvaient plus d'attendre. La fête continua sans eux jusqu'aux premières lueurs de l'aube, alors qu'ils venaient de s'endormir enfin entre leurs draps moites de sueur.

Ainsi commença leur vie de couple, sans l'ombre d'un nuage à l'horizon. Marie Monclar continuait chaque jour à enseigner aux élèves de Carambole avant de rejoindre son mari qui travaillait à la rhumerie. Dès qu'elle apparaissait, il sentait que le monde embellissait, tant la présence de cette femme à ses côtés lui semblait un présent des dieux.

– Chaque fois que je la vois, c'est un soleil qui se lève, confia-t-il à Elora.

Ils s'installèrent au premier étage de la maison de Carambole, juste à côté de la chambre de Martine qui continuait, à plus de quarante ans, à jouer comme une enfant avec ses poupées de chiffon qu'elle habillait et déshabillait tout au long de la journée. Aristide et Elora, désormais trop âgés pour gravir les degrés de l'escalier, se retranchèrent au rez-de-chaussée, réfugiés dans le silence de la pendule.

– Maintenant que vous voilà mariés, leur dit Aristide,

j'espère que vous allez nous faire de beaux enfants. C'est à eux qu'appartiendra un jour la rhumerie.

Mais comme l'avait prédit Madame Blanche, ces cavalcades amoureuses ne portèrent jamais leur fruit et le ventre de Marie resta toujours aussi plat et mince. En consultant le médecin de Bouillante, Maxime apprit qu'il souffrait d'une hypertrophie des testicules, et qu'en dépit d'un organe génital plutôt imposant, il ne pourrait jamais avoir d'enfant. Marie sembla prendre la chose avec philosophie, et ne dit rien pendant longtemps. Mais lorsqu'elle comprit qu'elle se condamnait elle-même à la stérilité, elle prit la résolution de demander le divorce.

Marie et Maxime se séparèrent un an après leur mariage et, à partir du moment où elle reprit le train pour Bouillante, et de là un autre train pour la capitale, il ne la revit jamais plus.

Il connut alors sa première peine d'amour, et se souvint de l'élixir que lui avait donné le capitaine Bonaventure Santa-Rosa. Il sortit le flacon d'eau blanche du placard et s'en aspergea le cœur. Aussitôt, il se sentit mieux, et bien résolu à oublier cette histoire qui s'était si mal terminée. Lorsqu'il fut enfin rasséréné, il se confia à son grand-père :

– C'est dommage que cela finisse ainsi. Mais c'est la vie qui veut ça. Il y a des femmes qui veulent des maris, et d'autres qui désirent seulement un enfant.

37

Muscade

Un beau matin, deux années après le départ de Marie Monclar, on découvrit qu'une roulotte s'était installée pendant la nuit sur la place de Carambole. Ce n'était ni un cirque, ni même un cabinet de voyante mais un oblidarium, une sorte de foire aux monstres et curiosités. La propriétaire était une vieille sorcière créole tout à la fois médium, chamane et pythonisse. Elle était si âgée qu'elle ne se souvenait plus très bien de la jeunesse de ses quatre-vingts ans, mais n'en possédait pas moins une énergie redoutable, un sens aigu des affaires et une santé de fer, trois qualités qui ne l'avaient jamais quittée de toute sa vie. Elle était vêtue d'une robe de gitane aux couleurs chamarrées, d'un foulard de soie rouge pour cacher la calvitie de son crâne, et portait des boucles d'oreilles si volumineuses qu'elles servaient de perchoirs à deux petits perroquets d'Australie qui tournaient constamment autour de sa tête. Les loriquets, aux plumes vert émeraude, jaune soleil, bleu outremer et orange corail vivaient sur le sommet de son crâne où ils dormaient, jouaient et chantaient à longueur de journée. Pour les amadouer, elle portait constamment en équilibre sur son épaule une écuelle remplie de nectar où ils trempaient leur bec, ce qui avait rendu la démarche de la vieille sorcière chaloupée, comme si elle avançait sur un fil et qu'elle craignait de basculer dans le vide. Elle avait de longues mains sèches et ridées comme la peau d'une tortue, un dentier en ivoire et deux yeux vairons à l'instar du capitaine Bonaventure Santa-Rosa, un noir et l'autre d'or. D'ailleurs, certains prétendaient qu'elle était la réincarnation du fameux capitaine, ce que personne ne se serait permis de mettre en doute, et encore moins Aristide qui savait la puissance des forces invisibles.

Cette femme extraordinaire s'appelait Dona Rosane. Elle allait d'un village à l'autre, accompagnée de ses phénomènes, pour les exhiber devant un public ébahi de son spectacle à nul autre pareil. Parmi les attractions qu'on découvrait contre quelques pièces d'argent, il y avait une femme à barbe, un M. Loyal à deux têtes, un homme-pieuvre, une femme-araignée, et l'être humain le plus petit du monde, qui ne mesurait que cinquante-deux centimètres et venait de Cuba. Mais il y avait surtout ce que Dona Rosane présentait avec force cris, œillades et roulements de tambour :

— Plus impressionnante que la pyramide de Khéops, plus luxuriante que les jardins de Babylone, plus élégante que le temple d'Artémis à Éphèse, plus chryséléphantine que la statue de Zeus à Olympie, plus racée que le mausolée d'Halicarnasse, plus solide que le colosse de Rhodes, plus rayonnante que le phare d'Alexandrie, voici la plus belle femme du monde ! La lionne d'Émilie-Romagne ! J'ai nommé Niki la belle !

Dona Rosane frappa dans ses mains et l'homme à deux têtes leva le voile sur le mystère de la création et le clou du spectacle.

Pour une fois la vieille sorcière n'avait pas exagéré. Car apparut alors la plus belle femme qui fut jamais à Carambole, et on entendit la rumeur enfler dans la foule des curieux.

– Doux Jésus, quelle beauté !

– On dirait une déesse tombée du ciel.

– C'est donc ça, une femme ? Je me disais aussi que j'avais été trompé sur la marchandise le jour où je me suis marié.

Niki était bel et bien une ensorceleuse, une de ces créatures façonnées à la perfection et qui ont pour fonction première de faire tourner la tête des hommes. Elle avait le corps et le visage d'une déesse antique, de petits pieds menus, des chevilles fines, des cuisses galbées, des hanches souples, la taille de guêpe des jeunes filles impubères, le sein lourd des nourrices, la bouche pulpeuse et le regard noir des femmes lascives, tout cela exhalant un parfum de muscade. Son sourire éclatait comme une aurore, son grain de peau hésitait entre l'ivoire et le cuivre, et une chevelure de jais tombait en cascade sur ses épaules dorées par le soleil des Caraïbes. On eût dit d'elle qu'elle naissait du ciseau d'un sculpteur de la Renaissance et qu'elle venait à peine de sortir de sa gangue de marbre noir. Elle était étendue sur un sofa, le corps seulement couvert d'un simple voile blanc d'une pureté laiteuse. Et elle prenait la pose, rayonnante comme un soleil couché.

– Un sou pour cette vision divine ! Un sou et vous serez au paradis pour l'éternité car vous aurez aperçu la beauté ! clama la vieille sorcière.

Dona Rosane fit alors mettre en file la foule des curieux et soutira à chacun une pièce d'argent contre le droit de poser le regard sur la belle.

Ce fut un terrible choc pour Maxime Sainte-Rose qui, lorsque son tour vint d'approcher la belle, resta si longtemps en extase qu'on le crut changé en statue de sel. Le jour où Marie Monclar l'avait quitté, il avait cru qu'il ne connaîtrait plus jamais ce transport amoureux, et voilà que cela le reprenait comme ressurgit une maladie ancienne. Il savait pourtant depuis cette première rupture et ce cuisant échec, que rien ne demeurait éternellement, pas même la passion amoureuse. Aussi fut-il surpris par l'intensité de ce trouble qui naissait en lui. Dès qu'il croisa son regard de braise, la lionne d'Émilie-Romagne le prit dans ses rets et ne lui laissa plus de repos. Il fut foudroyé et son cœur consumé par la folie ardente de la passion. Il demeura stupéfait, de longues secondes, devant cette apparition, avant d'être bousculé par la foule des suivants.

Hagard, il quitta la place en titubant et rentra chez lui sans trop savoir comment. À midi, il ne put avaler une bouchée du repas et encore moins fermer l'œil à l'heure de la sieste. Puis, lorsqu'il fallut aider son grand-père à la distillerie et couper la canne à sucre, il fut pris de nausées et de vertiges.

– C'est comme si j'avais des papillons dans l'estomac et que la terre tanguait sous mes pas, lui confia-t-il.

– Tu as dû attraper la fièvre. Cela arrive en cette saison, par cette chaleur à ne pas mettre un âne dehors.

– Non, rétorqua Maxime. C'est depuis que j'ai vu cette femme dans la roulotte de Dona Rosane.

Aristide, qui avait connu cela bien des années plus tôt, se pencha vers son petit-fils et grimaça :

– C'est une chose terrible qui t'arrive, mon garçon. Pour la seconde fois de ta vie, tu viens d'attraper la maladie de l'amour.

38

La Forêt de la Pluie

L'après-midi passa sans amélioration aucune. Même après avoir appliqué trois gouttes d'«Eau blanche» sur sa poitrine, Maxime sentait encore les épines amoureuses lui perforer le cœur. Il savait que l'amour était une maladie cruelle et traîtresse.

Revenant vers son grand-père – il ne pouvait se confier à aucun autre homme – il lui demanda comment guérir d'un tel fléau.

Le patriarche eut une moue perplexe.

– Il y a deux solutions, mon garçon. Soit tu commences par l'oublier et tu t'en remettras peut-être avec quelques gouttes d'«Eau blanche». Soit tu la rejoins tout de suite et tu vas souffrir mille morts.

Et il ajouta, malicieux :

– À ta place, je ne laisserais pas passer une telle chance de connaître l'enfer de la damnation.

Faisant preuve d'autant de courage que de curiosité, Maxime opta pour la seconde solution. Il quitta la maison vers cinq heures et se rendit de nouveau sur la place.

Tout était calme dans la moiteur torride de l'après-midi. La foule des curieux que la chaleur avait fait fuir s'était envolée.

Il s'approcha de la roulotte, en souleva la toile et découvrit la femme à barbe endormie contre l'homme à deux têtes. Un peu plus loin, près de la femme-araignée et de la naine de Cuba ronflait Dona Rosane, la nuque appuyée contre un sac bien rempli. Et, sur la droite, Niki la belle, assoupie sur un lit de coussins et de plumes de perroquet. Sans bruit, il se hissa près d'elle et glissa dans son corsage un billet recouvert de sa fine écriture. La belle, qui crut d'abord qu'un insecte venait la déranger dans son sommeil, chassa l'intrus d'un geste. Mais lorsqu'il recommença, elle ouvrit les yeux. Elle aperçut alors le visage ahuri de Maxime et, ses yeux noirs lançant des éclairs, elle demanda à voix basse pour ne pas réveiller les autres occupants de la roulotte :

– Qui es-tu et que fais-tu ici ?

– Je suis Maxime Sainte-Rose et je viens vous offrir un poème.

La belle fit la moue, se tourna sur le côté et fit mine de se rendormir. Maxime comprit qu'elle n'en avait cure. Accablé, il allait partir lorsque Niki, sans même le regarder, tendit le bras et ordonna :

– Donne.

Un sourire aux lèvres, l'amoureux transi obéit et glissa la feuille de papier dans la main de la belle. La lionne, sortant peu à peu de son sommeil, s'étira, se redressa, déplia le billet et commença à lire.

> *Mon amour soudain se lève*
> *Juste à l'orée d'un rêve*
> *De Papyrus*
>
> *Elle est encore en rêve*
> *Elle est en costume d'Ève*
> *In naturalibus*
>
> *Elle s'élève et se soulève*
> *Et sent soudain sur ses lèvres*
> *Le goût d'eucalyptus*
>
> *Qu'avec un peu d'audace*
> *Ma bouche dédicace*
> *Sur son corps de Vénus*

Le cœur de Niki fut immédiatement touché par ces mots. Elle qui attendait d'un homme non pas seulement la beauté, la richesse ou le pouvoir, mais qu'il sût trouver le chemin de son âme et l'apprivoiser. Comme elle le trouvait joli garçon, et qu'elle voulait se laisser tenter par autre chose que des aventures avec des hommes si mûrs qu'ils étaient près de tomber de l'arbre, elle lui glissa à l'oreille :

– Rendez-vous à la tombée de la nuit dans la forêt de la pluie.

Maxime crut que son cœur allait échapper de sa poitrine pour se perdre dans les nuées, il ne s'était jamais senti aussi léger de toute sa vie.

Il passa le reste de la journée en état d'apesanteur, à tourner en rond et à se cogner aux murs et aux chambranles des portes, défaisant comme Pénélope le labeur qu'il avait fait l'instant d'avant, multipliant les maladresses et les incohérences, épris du délicieux nectar de l'amour.

– Si tu dois perdre la tête, le tança sa grand-mère en ramassant les débris du vase qu'il venait de briser dans le salon, autant que ce soit ailleurs qu'à la maison !

Comme le soir venait, Maxime écouta les conseils d'Elora, quitta la maison en toute hâte et gagna à grandes enjambées le lieu du rendez-vous.

La Forêt de la pluie était une montagne sauvage au paysage grandiose où il pleuvait si souvent qu'on l'avait nommée ainsi. Elle n'était qu'à une heure de marche de Carambole, mais Maxime était si nerveux qu'il se trompa plusieurs fois en chemin et, lorsqu'il arriva enfin, Niki était déjà là.

Fleur royale parmi les fleurs sauvages ruisselantes de pluie, car bien entendu il pleuvait. Il la trouva assise dans l'herbe détrempée, sous un banian recouvert d'orchidées.

– Voyons voir si tu maîtrises aussi bien la brûlure du

corps que la brûlure des mots, lui susurra à l'oreille la belle Niki en l'attirant contre elle et en posant le visage de Maxime sur sa poitrine frémissante.

– Il me faudrait la vie entière pour t'aimer comme tu le mérites.

– Malheureusement, nous ne disposons que de quelques heures. Mais il y a certaines heures qui valent une vie entière.

Dès lors, le jeune homme sut qu'il ne fermerait pas l'œil de la nuit. Il posa ses lèvres sur les lèvres de la belle, plaqua sa main sur sa peau recouverte de gouttelettes de pluie, humant à pleins poumons son parfum de rose, de myrte et de chèvrefeuille. Il plongea son regard d'eau claire dans les yeux noirs de la lionne, avançant sur le chemin de l'amour, conscient pour la première fois du bonheur d'être vivant.

Elle était si sensuelle et sa façon de faire l'amour si troublante qu'il en perdit l'esprit. Elle avait une telle façon de mêler son corps au sien, leurs langues et la chaleur de leurs yeux qu'il se jura de recommencer chaque jour de sa vie avec elle.

– Je ne veux pas te perdre, Niki.

– Alors il faudra te défaire de tes chaînes et me suivre jusqu'au bout du monde.

39

La Côte sous le Vent

L'oblidarium quitta Carambole le jour même, dans la chaleur de midi, emportant Maxime Sainte-Rose dans son sillage, comme l'avait annoncé Madame Blanche. Plus personne n'entendit jamais parler de lui jusqu'à ce que, des années plus tard, ses grands-parents reçoivent un paquet de lettres entouré d'un ruban doré. C'étaient les missives qu'il avait écrites pendant toutes ces années et qui s'étaient perdues dans le labyrinthe de l'administration postale, avant d'échouer au guichet de Bouillante. Là, un préposé plus consciencieux que les autres les avait rassemblées avant de les faire parvenir à bon port.

Dans ces courriers, Maxime racontait ses voyages au fil de la tournée de l'oblidarium, de Caracas jusqu'à La Nouvelle-Orléans et de La Barbade jusqu'à la Terre de Feu, où, en compagnie de sa belle, il suivait le chemin étrange et sinueux qu'avait tracé son destin loin de la rhumerie. Il ne disait jamais quand il reviendrait, ni même s'il reviendrait, mais avait toujours une pensée affectueuse pour ses grands-parents et les priait de lui pardonner cette vie aventureuse loin des siens.

Elora et Aristide comprirent alors qu'ils étaient désormais seuls au monde. Lisa à jamais enfermée dans la solitude de son couvent, Vanille retranchée dans le monde de la haute bourgeoisie, Daniel emporté par tous les vents, Raphaël six pieds sous terre, Martine perdue dans les limbes de l'irréalité, et maintenant Maxime sur la route de l'amour et ses chimères.

Ce fut l'année suivante que débuta le cycle des désastres. Le volcan de l'île de Montserrat se réveilla un matin de janvier. Un énorme nuage noir enfla au sommet du dôme et une pluie de cendres s'abattit sur la région, changeant les terres cultivées en vaste désert lunaire, et les rivières en torrents de boue à l'odeur de soufre. De nombreuses secousses firent trembler le sol, faisant craindre qu'il ne s'agissait là que des prémices d'une catastrophe. Déjà, les premières colonnes de fumée s'élevèrent dans le ciel, la lave surgit d'une fissure de la croûte terrestre et se mit à couler en direction de la vallée. On évacua tous les habitants vers la grande île voisine.

De leur terrasse face à la mer, Aristide et Elora Sainte-Rose purent assister en toute sécurité à ce spectacle extraordinaire qui se solda par l'exode massif et sauvage de la population de Montserrat, à l'exception d'un vieil homme qui refusa de quitter sa maison. Il en vint des milliers par voie de mer, avec pour tout bagage un baluchon et la mine défaite de ceux qui savent que le pire est encore à venir.

Ils s'installèrent un peu partout sur la plage de l'Anse des requins, dressant leurs tentes de fortune sous les catalpas, en priant le Seigneur qu'il épargne leur île de sa fureur divine.

La première nuit, on n'entendit que des chants de prières, des lamentations, des incantations et de longues mélopées qui durèrent jusqu'aux premières lueurs de l'aube. Durant trois jours, la scène fut identique. Mais la nuit suivante le volcan se réveilla. Une éruption titanesque balaya le ciel jusqu'à chasser les nuages et éclairer la nuit d'un geyser de lave et de cendres. L'activité du volcan se poursuivit ainsi plusieurs jours, alternant périodes de repos et périodes de fureur. Mais lorsque, deux mois plus tard, on annonça aux habitants de Montserrat qu'ils pouvaient sans danger regagner leur île, certains se montrèrent hésitants et préférèrent rester dans la grande île. Les plus pressés et les plus courageux rembarquèrent, les autres choisirent de rester sur place. L'éruption n'avait fait qu'une seule victime, le vieil homme qui avait refusé de quitter sa maison et dont on retrouva le corps sous une épaisse couche de cendres.

Ce fut également en septembre de cette même année, riche en catastrophes, que le plus formidable ouragan connu depuis des temps immémoriaux frappa la mer des Caraïbes. Entre deux tornades sèches, les premiers vents violents atteignirent les rivages de l'île en début de journée. Il faisait une température clémente, et les nuages à l'horizon n'avaient pas tout à fait obscurci le ciel quand midi sonna à l'horloge de l'église. Mais, en début d'après-midi, les vents chauds venant de l'équateur et l'air glacé de la banquise se rencontrèrent à quelque dix mille pieds au-dessus de l'île. Ce qui n'était encore qu'une tempête tropicale se changea alors en un gigantesque cyclone. Un monstre à la circonférence dix fois supérieure à celle d'une tempête de saison. Dès qu'il s'installa au-dessus de l'île, ce fut comme si les trompettes du Jugement dernier avaient sonné la fin du monde. Tout se mit à voler, tôles, poutres de bois, humains, arbres, chats et chiens qu'on avait oublié de mettre à l'abri et qui, pris dans la formidable spirale, furent engloutis et projetés dans les airs, puis recrachés à plus de cinq cents mètres de distance. À Carambole, la furie dura trois heures sans aucun répit. Mais lorsque le village entra dans l'œil du cyclone, il y eut un étonnant silence. Un calme de courte durée. À peine deux minutes plus tard, les éléments se déchaînaient à nouveau.

Restés seuls sur la côte au lieu de se réfugier à l'intérieur des terres où le vent était moins fort, Aristide et Elora Sainte-Rose survécurent au cyclone du siècle en se cachant à l'intérieur de l'alambic.

– Comme quoi, s'empressèrent-ils de raconter plus tard à leurs voisins ébahis par le désastre qui les entourait, l'alcool peut vous sauver la vie.

40

Sainte-Rose

– Si la fin du monde doit survenir, je suis résolu à l'attendre. Mais avant tout, je vais reconstruire cette maison que l'ouragan a changée en champ de ruines, déclara Aristide avec l'énergie du désespoir.

Il fit appel aux artisans du village et engloutit la quasi-totalité de sa fortune dans des travaux de titan. On releva les murs, on remplaça toiture et fenêtres que la tempête avait arrachées, on installa une nouvelle salle de bains avec une baignoire en fonte, et on en profita pour planter dans le parc toutes les espèces végétales que l'on pouvait trouver dans l'île. Mais ce fut peine perdue. À peine les peintures étaient-elles sèches qu'elles s'écaillaient, et les plantes mises en terre qu'elles se fanaient.

– Il ne s'agit pas seulement de la tempête, mais d'une malédiction, décréta Elora qui, de ce jour, s'enferma dans la maison et n'en sortit plus.

Aristide décida alors de transformer la demeure en mausolée, et ordonna qu'on construise un caveau de pierre au centre du jardin, juste derrière l'ancienne volière aux papillons, dans lequel il fit transférer les ossements des Sainte-Rose. Sur la stèle granitique, il dispersa ce qui restait de leurs cendres. En agissant ainsi, croyait-il, il parviendrait à rétablir l'équilibre cosmologique et à redonner à la demeure son lustre d'antan. Mais rien n'y fit. Le lierre continua d'envahir la façade, les murs de la cuisine à pourrir d'humidité, le carrelage de la salle d'eau à se couvrir de moisissure, les peintures à se craqueler et les dalles du jardin à se soulever comme poussées par des racines invisibles.

Le patriarche comprit que le domaine jadis familial était rongé par la maladie de la solitude, et que, sans cris d'enfants, sans manifestations de vie et de présence humaine, cette maison, tout comme son âme, tombait en ruine.

– Il n'y a rien à faire contre la décrépitude et la vieillesse, soupira Elora du fond de son lit dont elle ne parvenait plus à s'extraire que pour préparer de maigres repas. Cette maison est peuplée de fantômes et d'ombres.

Demeuré seul sur le pont de son navire en perdition, Aristide Sainte-Rose tenta de se soustraire à la maladie de l'ennui en créant un musée au sein du domaine. Il fit construire un bâtiment attenant à la rhumerie, et y entreposa tous les vestiges de l'odyssée du rhum, une ode caribéenne à la gloire de la plus belle entreprise de Carambole, entièrement vouée au précieux nectar des

Caraïbes. Après quoi il en légua l'administration à la mairie, puis s'en désintéressa totalement.

Parmi les bouteilles étiquetées, les flacons hors d'âge et les outils anciens, le vieil alambic qui avait fait la fortune de la famille trônait comme un roi en sa cour de liqueurs. Chaque matin, outre la fabrication du précieux breuvage, un employé faisait visiter le musée aux clients et racontait aux visiteurs comment était née la rhumerie, sur un coup de dé du hasard, à savoir l'achat d'un alambic, la découverte d'un trésor de pirate sur la route de la traversée et la révolution qui avait fait la fortune des Sainte-Rose.

Le patriarche, enfin libéré du labeur quotidien, se retrancha dans la partie privée de la maison, loin de cette agitation qui le concernait de moins en moins. Il vieillit à l'ombre des palétuviers et des bois-chandelles ornant la terrasse, occupé à un projet fou qui trottait dans sa tête depuis belle lurette et qu'il n'avait jamais pu mettre à exécution faute de temps. La rédaction de ses Mémoires.

– Maintenant que j'arrive à la fin de ma vie, il serait bon de songer à élever mon âme.

Il eut alors l'idée de rédiger un long poème en prose. Il choisit pour cela le créole, cette langue mâtinée de français, d'espagnol, de portugais, d'anglais, de langues indigènes caraïbes et africaines, cette langue orale qui permettait aux hommes de se comprendre dans toutes les Antilles, de Haïti jusqu'aux îles Vierges britanniques et des îles Caïmans jusqu'aux Grenadines.

– Tu perds ton temps. Le créole ne s'écrit pas, il se parle, lui fit remarquer avec justesse Elora.

– Avan ou maié cé chè doudou, aprè maié cé si moin té savé (Avant de te marier, c'est chérie, après c'est si j'avais su).

Puis il reprit, plus sérieux :

– Tu as raison, mais seulement en partie. Le créole est avant tout une musique. Et la musique, avant de se jouer, ça s'écrit.

Alors pendant de longs mois, tel un compositeur couchant sur le papier des milliers de notes, il se retrancha dans son bureau et rassembla ses souvenirs en un long poème dans cette langue sensuelle, langoureuse et parfumée qui lui semblait aussi insaisissable qu'une femme à venir. La phonétique pour base, et en dépit du fait qu'il se demandait pour qui il transcrivait cette histoire, le patriarche alla jusqu'au bout sans se décourager. Derrière les volets clos, pour ne pas être dérangé par la lumière de l'aube, il tenta de réunir, une à une, les pièces éparses de ce vaste puzzle qui avait été sa vie.

Les années s'ajoutèrent aux années. Aristide vieillit entre les quatre murs ombreux et silencieux de ce qui avait été la splendeur de la famille Sainte-Rose, et ne fit rien d'autre qu'écrire, et écrire encore, du matin jusqu'au soir, entrecoupant son harassant labeur par des promenades le long du front de mer, lorsque la chaleur n'était pas trop suffocante. Au crépuscule, après avoir attendu le spectacle du coucher du soleil, du haut de la terrasse, moment qu'il affectionnait tout particulièrement, il retournait s'enfermer dans la grande maison qu'il tentait d'égayer en passant sur un vieil électrophone un air de musique créole. Puis, lorsque le silence nocturne reprenait ses droits, il s'allongeait sur son lit et, après avoir fermé les yeux, revivait en songe les heures du passé. Cet univers de nostalgie et de souvenirs le coupait de la réalité, mais lui procurait le bien-être et la sérénité dont son esprit avait besoin pour écrire. Ses seules véritables sorties en dehors du domaine étaient dominicales et consistaient à se rendre au cimetière où reposaient les siens.

Il savait qu'il serait bientôt allongé à leur côté, et que tout prendrait fin, mais n'en ressentait aucun chagrin. Il savait aussi que chaque chose devait finir et combien il était inutile de lutter contre l'inéluctable.

41

Cimetière indien

Elora Sainte-Rose perdit peu à peu contact avec la réalité. D'abord, sa vue déclinant, elle crut qu'il faisait nuit en plein jour, puis que les étoiles dans le ciel étaient des feux de forêt qu'allumaient les anges. Bientôt, elle n'entendit plus rien et se retrancha dans le tunnel de la solitude, psalmodiant des incantations puisées au hasard de la bibliothèque de sa mémoire, avant de passer les derniers mois de son existence dans son lit.

– Je tombe dans le gouffre des enfers, dit-elle.

Elle lutta encore, comme par défi, puis s'éteignit à mesure que le monde se rétrécissait sous ses paupières fermées par la cécité.

Elora Sainte-Rose mourut dans son grand âge, à l'aube de ses quatre-vingt-dix ans. Un soir de décembre où flottait dans l'air le parfum des roses, elle s'endormit dans son lit, et le matin ne la réveilla pas. La veille, elle savait qu'elle allait mourir, elle avait vu en rêve un grand soleil noir envahir le monde et, près d'elle, le chaman qui avait guéri son mari bien des années plus tôt du gouffre de la dépression.

– C'est donc pour aujourd'hui ? avait-elle demandé.

Le chaman n'avait pas répondu, mais il n'avait pu s'empêcher de trahir la vérité en versant une larme de chagrin qui avait roulé comme une goutte de sang sur la blancheur de sa joue. Elora avait compris qu'il était temps de partir. Elle s'était contentée de fermer les yeux et de se rendormir. Une heure plus tard, elle avait tiré sa révérence à ce bas monde.

Tous les habitants du village se rendirent dans la grande maison pour un dernier hommage. Les funérailles d'Elora eurent lieu le lendemain dans la petite église de Carambole, un jour de si grande chaleur qu'il fallut recouvrir son corps de glace pour ne pas accélérer le processus de décomposition. Dans un tourbillon incessant de phalènes et de moustiques et le vrombissement des mouches, son cercueil fut conduit au cimetière sous bonne escorte et enseveli sous une mer de pétales de rose.

Martine la suivit de peu dans la tombe. Elle mourut trois mois plus tard, non pas de chagrin mais de lassitude, car sans l'amour que lui prodiguait sa mère elle trouvait la vie aussi insipide qu'un jour de pluie. On la retrouva morte à l'orée d'un rêve, les yeux ouverts sur l'autre monde, celui des esprits, de la nuit et du repos éternel, avec sur la poitrine un crucifix en bois et, dans la main droite, une branche de buis.

– Désormais, annonça Aristide avec le frisson des survivants, je suis seul au monde.

42

Plage de l'autre bord

Assis sur la terrasse face à la mer des Caraïbes, bien calé dans son fauteuil à bascule, un verre de rhum en main, Aristide Sainte-Rose achevait la rédaction du livre auquel il avait consacré les dernières années de sa vie. Derrière lui, le musée était endormi dans la chaleur de l'après-midi, et l'ombre produite par les palétuviers et les bois-chandelles ne suffisait plus à le préserver de l'enclume du soleil. Il buvait le breuvage onctueux à petites gorgées douces-amères, tout en laissant échapper sur le papier le chant lyrique qui coulait de ses doigts, ce long poème en prose arrivé à son achèvement et qui avait tout à la fois la couleur de l'aurore et l'obscurité de la nuit. Il l'avait rédigé avec une lenteur calculée, comme si chaque mot devait rester gravé à jamais dans les plis de sa mémoire. En vérité, il ne savait plus si ce gigantesque travail lui avait pris des heures, ou des jours, des mois, peut-être des années, car depuis l'aube de sa vieillesse il avait perdu la notion du temps.

Pourtant tout était là, condensé dans ces feuilles si

légères qu'elles ne semblaient pas porter le poids de tant de vies. Du premier jour où il avait construit la maison de Carambole jusqu'au déclin, à l'ouragan et au tremblement de terre. Un univers de magie et de rêve qui n'appartenait qu'à lui. Toute l'histoire des Sainte-Rose reposait ici. Or, voici que surgissait le spectre de la dernière page. Du dernier mot. De la dernière lettre. Cette lettre qui surgit de la plume avec un parfum de cataclysme, de fin d'empire.

Aristide Sainte-Rose savait qu'il était parvenu au bout du chemin. Et lorsque l'encre du dernier mot eut séché, il referma le livre en soupirant, leva les yeux vers la mer, enfin libéré de tout et surtout des mots qui l'avaient tenu enfermé dans la geôle de la solitude. Puis, lorsque ses yeux se furent lassés de ce spectacle grandiose qu'il connaissait par cœur comme un poème récité depuis l'enfance, il se leva de son fauteuil à bascule et, son manuscrit en main, s'en retourna vers la maison. Là, il rejoignit sa chambre et s'étendit sur le lit où tous les enfants de la famille étaient venus au monde, et où il allait désormais mourir. Il posa le manuscrit sur sa poitrine et les mots, pour la première fois et sans doute la dernière, entendirent battre le cœur du dernier de la lignée des Sainte-Rose.

– Maintenant, il est l'heure de mourir, dit-il d'une voix d'où sourdaient tout à la fois la lassitude et la détermination.

On était la veille du 1ᵉʳ juin, le lendemain il allait

avoir cent ans. L'heure était venue de partir, de quitter ce corps qui lui pesait trop, l'heure de rejoindre l'autre rive, immense et noire, celle des orchidées du mystère, celle des ombres.

Aussi saisit-il un verre de Bohême, qu'il fracassa contre l'angle de la table de nuit et, à l'aide d'un tesson de cristal, se trancha les veines. La première incision lui arracha un cri de douleur. Mais à la seconde, il souffrit moins, à la troisième, il ne ressentit rien d'autre qu'un grand vide. Il regarda le sang s'échapper de son corps et glisser au sol. Le froid l'envahit peu à peu, mais aucune peur, car il était résolu à accueillir le grand vertige de la mort avec sérénité. Les minutes s'étirèrent, jusqu'à ce que sa vue se troublât et que, exsangue, il perdît connaissance.

Lorsqu'il expira, il se passa quelque chose d'étrange. Au lieu de sombrer dans les ténèbres, Aristide Sainte-Rose vit une lueur apparaître à travers le brouillard de son agonie. Il n'était pas seul dans la maison. À ses côtés, debout près du lit, se tenait le vieux chaman qui l'avait guéri. Il ressemblait à un squelette échappé d'une tombe avec ses yeux exorbités et ses longs cheveux blancs tombant sur ses épaules décharnées. Il portait un habit d'une blancheur éclatante et avait la peau d'un serpent. Il s'approcha de lui et souffla à son oreille :

– Lève-toi et viens, j'ai quelque chose à te montrer avant que tout ne se rejoigne.

Le patriarche, incrédule, comprit alors qu'il était à

l'entrée du royaume des morts et que cet homme en était le gardien. Il obéit et se redressa sur le lit, sans savoir s'il était vivant ou non. Puis, hagard, il se leva, franchit la mare de son propre sang et suivit le vieux chaman jusque dans le jardin. Là, l'homme décharné le prit par le bras et le conduisit jusqu'au promontoire. Au loin, dans la splendeur du soleil couchant, la mer semblait une flaque de nuit déformée par le miroir des rêves.

– Regarde, ils sont venus pour te dire adieu, lui dit le chaman en lui montrant l'horizon.

Aristide Sainte-Rose posa sa main en visière et contempla la mer. Là, sur l'onde miroitante aux reflets d'or et d'argent, au-dessus d'un monde de poissons, d'épaves et de ténèbres, un bateau surgit au large. Un navire fantôme aux voiles translucides que l'astre du jour illuminait de mille feux. Le navire sur lequel le capitaine Bonaventure Santa-Rosa, près de trois siècles plus tôt, avait pris la fuite avant de périr en mer des Sargasses. Sur le pont, une foule de personnages se pressaient, toutes les ombres qui avaient traversé sa vie, comètes sublimes éclairant de leur présence lumineuse ce qu'on appelait la réalité.

Il reconnut son ami Jean-Yves Roudil, Elora et ses cinq enfants, sans oublier le clan des belles, Marie Monclar, Rachel Solar et toutes les autres dont il avait oublié les noms. Il y avait aussi Hégésippe Tonnerre confiant à José-Élie-Olivier Bodonnot ses craintes de devenir un assassin, Jean-Dimitri Économe s'ébaudissant de la santé de fer de Dona Rosane, Niki la belle faisant du charme à Maxime Sainte-Rose, Anita et Edouard Vargal pêchant avec Eugène Pons, Léonard Montréal jouant de la guitare, Isabelle Mangue, et bien sûr, Bonaventure Santa-Rosa, capitaine de ce curieux équipage qui filait tout droit vers les rivages de la mort.

Aristide Sainte-Rose sut alors qu'il ne s'agissait pas d'un mirage comme il en vient dans le désert ou sur l'océan, mais la triste et cruelle réalité. Ce vaisseau fantôme venu du grand large annonçait la fin d'un monde. Lui, Aristide, dernier maillon d'une chaîne maudite, devait disparaître à l'aube de ses cent ans.

– Après moi, le déluge, dit-il, l'âme biblique.

Mais il savait qu'il se mentait. Si le nom des Sainte-Rose s'effaçait à jamais, et même s'il se sentait déjà du côté des morts, la vie sur cette île lui survivrait, et resterait belle jusqu'à la fin du monde.

Lorsque tout fut terminé, que le navire se fut évanoui au large, Aristide Sainte-Rose s'aperçut que le chaman avait lui aussi disparu. Il était désormais seul dans le jardin, seul pour traverser l'autre rive. Il sut alors qu'il lui restait une dernière chose à accomplir avant de retourner dans sa chambre et s'étendre sur le lit où la mort l'attendait. Une dernière épreuve pour devenir l'homme libre qu'il avait toujours désiré être, et effacer toute trace de sa présence sur cette terre, parce qu'il en était ainsi depuis le commencement et que tout ce qui était né de la poussière devait redevenir poussière.

Tout à la fois étonné et ému d'être arrivé à la fin de l'histoire, la sienne et celle de sa famille, comprenant qu'un point final devait tomber derrière la lignée des Sainte-Rose maudite jusqu'à la septième génération, il observa longuement l'horizon où le feu du soir embrasait la voûte céleste. Il se souvint une dernière fois du parfum de la fleur de balisier, de la goyave et du Rhum Caraïbes, se planta face à la mer, ce monde qui l'avait vu naître, puis déchira un à un les feuillets du livre qu'il tenait en main, oiseaux tachés d'encre et de rêves, avant de les offrir, l'un après l'autre, aux spirales du vent.

DU MÊME AUTEUR

Aux Éditions Albin Michel

L'APICULTEUR, 2000, prix del Duca 2001, prix Murat 2001.

SAGESSE ET MALICES DE CONFUCIUS, LE ROI SANS ROYAUME, 2001.

OPIUM, 2002.

BILLARD BLUES, 2003.

AMAZONE, prix Europe 1, 2004.

TANGO MASSAÏ, 2005.

LE LABYRINTHE DU TEMPS, 2006.

LE TOMBEAU D'ÉTOILES, 2007.

LES CARNETS DE GUERRE DE VICTORIEN MARS, 2008.

LE PAPILLON DE SIAM, 2009.

Aux Éditions Arléa

NEIGE, 1999.

LE VIOLON NOIR, 1999.

Composition IGS-CP
Impression : Imprimerie Floch, avril 2011
Éditions Albin Michel
22, rue Huyghens, 75014 Paris
www.albin-michel.fr
ISBN : 978-2-226-22136-0
N° d'édition : 19753/01 – N° d'impression : 79364
Dépôt légal : mai 2011
Imprimé en France